子宮委員長はるの

# 子宮委員会

子宮委員長はる

# プロローグ

## 肩の力を抜いて、〝本当の自分の声〟を聞いてみて

あなたは、〝本当の自分の声〟を無視していませんか？

わたしは、「本当の自分の声」を、「子宮の声」と表現して、「子宮の声を聞けば、すべてがうまくいく」と発信してきました。

どういうことかというとね、何も飾らない〝本当の自分の声〟が、女性だったら子宮のあたりの、肚《はら》の底から感じるものなのです。

この〝本当の自分の声〟って、過去のトラウマや常識や思い込みに隠されて、大人になるにつれてだんだんわからなくなってしまうんですね。でも子宮を活性化して、感情を出していくと、よくわかるようになるんです。

子宮の声＝本当の自分の声って、優しいだけじゃなくてね、時に厳しく、時に暴言を吐きます。「自分ってえげつないな」って思うかもしれない。

だけどそれが自分の本音なんだと認めて、無視しないで従っていると、恋愛、

# prologue

結婚、子育て、人間関係、健康、お金、仕事……すべてが驚くほど、うまく回り出すんですよ！

このことをわたしは「子宮委員長はるの子宮委員会」というブログで、日々、赤裸々につづってます。するとブログのアクセスはいつのまにか最大1日19万を超え、講演会やセッションは予約開始と同時に即満席。毎日のように読者のみなさんから、「はるちゃんのブログを読んで子宮の声を聞いたらうまくいったよ！」というご報告をいただいています。その内容は「彼氏ができました」「パートナーとの関係が改善しました」「お金に愛されるようになりました」「うつが治りました」などなど、盛りだくさんです。

だけどね、そんなわたしも、子宮の声を聞く前は、本当に、どん底でボロボロだったんだよ！

過去のわたしは、誰かに愛されたかったから、周りに合わせてひたすらイイ子ちゃんをやってました。人に認められたくて、昼も夜も寝ないで働き続けたあげく、精神疾患、子宮筋腫《きんしゅ》、子宮けいがんなど、病気だらけになり、どんなに健康にいいことをしても効果なし。お金も稼げなくなり、ついには会社をクビになりました。恋愛もうまくいかず、悲惨な思いばかりしていました。

「もうこんな人生は嫌だ」

そう思った時に、やっと気づけたんです。「わたし、今まで本当の自分の声を全く無視してた」ってことに……。

以来、子宮周辺の温活などをしていたら、その声がどんどん出てくるようになり、恐る恐る従うようになりました。すると、体がどんどん健康になって、病気が完治。仕事もうまくいき、お金も回り始め、いい人にばかり囲まれるようになっていきました。

ある時、「どうしても赤ちゃんが欲しい」という子宮からくる衝動が抑えきれなくなり、父親が誰だかわからない子を妊娠。ところが妊娠中に、お腹の子の父親になってくれる結婚相手が現れました！

今では生まれた息子のじゅんせーと、夫の岡田と共に、めちゃくちゃ楽しい日々を過ごして、思い描いていた夢をどんどん叶え続けてます♪

お金も結婚当時は全然なかったけど、今は夫婦で遊ぶように仕事してごっそり稼ぎ、それを自分たちが心から喜ぶことに使って、さらに稼ぐという循環を楽しんでます。

これって、奇跡のように思われてるけどね、自分の子宮を大事にして、そこから出てくる本当の自分の声を感じることができれば、誰でも叶えられることだと思うんです（病気で摘出したりして、物理的に子宮がなくてもできます）。

本当の自分を大切にしたり、無条件に自分を愛することって、最初は難しいかもしれません。でもそれを続けてるとね、周りからも大切にされ、愛されるようになって、すべてがうまくいくようになるんですよ。

そんなふうになってみたいって思った方は、ぜひこの本を読んでみてくださいね。この中ではわたし子宮委員長はるの「子宮の声の聞き方」や、その声を聞いて幸せになったプロセスを、包み隠さず紹介してます。

わたしもこれからもっと幸せになるけどね、本を読んでくれた方も、みんなどんどん幸せになってくれたらなって思ってます。

chapter 1

# 「ありのままのわたし」を大事にしている？

chapter 2

# はる流幸せな家族
## ～家族との関係も自分中心でいればOK～

chapter 3

# はるの日常 〜子宮の声を聞く生活ってこんな感じだよ〜

chapter 4

# 自分中心でいれば、お金、情報、全部いい感じ

# 子宮委員長はるの家族をご紹介しますね！

**はる**
子宮＆性愛のプロ。
子宮委員会の委員長です☆

**岡田**
はるを献身的に支える夫。
みんなに岡田と
呼ばれています☆

**じゅんせー**
１歳になった赤ちゃんです。
けっこうイケメンなんですよ☆

本文デザイン：長谷川有香（ムシカゴグラフィクス）
本文イラスト：河原奈苗

# chapter 1

# 「ありのままのわたし」を大事にしている？

# 1

# ただ素直に生きることが幸せのヒケツ☆毎日がわたしの祝日☆

春分の日と秋分の日って、ぐ〜っとエネルギーが変わります。とくに〝春〟は〝売春〟や〝春画〟といったように、〝エロ〟に用いられますよね。冬の間縮こまっていたエネルギーが、春に解放されて、自分に素直に生きられるようになるんです。子宮委員長〝はる〟にぴったりじゃない？　だから春分の日はわたしの日なの。

今のわたしは、そんな地球のエネルギーの変動を、敏感に感じられる生活リズムを生きてます。

OLしながら夜の仕事もしていた頃は、ただただ忙しく過ごしていて、リズムに気づく余裕すらありませんでした。先の予定がないのが恐怖で、手帳は文字だらけ。きっと〝世の中に必要とされたすぎ〟だったのだと思います。

## chapter 1

「ありのままのわたし」を
大事にしている？

そんな思いは誰にもあるよね。今の私にもあります。

ただ前の私と違うことがあります。それは、「世の中に必要とされたすぎ」の自分を**知っている**ということ。前の私は、そんな情けない自分は知りたくなかった。でも本当の自分を認めていない時は、満たされてるふりはいくらでもしてたけど、心から満たされることはなかったんです。

今は、はっきり本音で言えるようになったよ。

**わたしは必要とされたい！　かまってほしい！　私の話を聞いてほしい！**

**何よりも、愛されたい！　って。**

**そう素直に言えることが、今のわたしの一番の強みなんです。**だからわたしは、たくさんの人にも、たった一人のパートナーにも、必要とされるし、かまってもらえるし、話を聞いてもらえる。何よりも、**わたしは愛されるんです！**

これからも素直に本音を言い続けるよ。

**もっともっと愛されたい〜!!　足りない足りない、全然足りませ〜ん!!**　ってね。だからわたしは、うまくいくんです。

## 愛されたい！って素直に言えるから、愛されるんだよ　by子宮

それが一番の成功のヒケツであり、願いの叶うヒケツだって思ってます。

「地球のリズムを感じて、地に足をつけて、現実的に生きるといいよ」って言うけど、それって、自分に素直に生きるってことだと思うんです。

# 2

# 自分に嘘をつかない～要らない縁はとっとと切り捨てよう♪～

常識的に世間的に毒のあるほうを選び続けてきたわたしなのに、夫の岡田が「透明感のある奥さんですね」と言われたみたい。「はるちゃんは汚れの王道なのにね」って岡田に言われて大爆笑です。本当にその通りだよね、って。

子宮から出てくる本音に正直に生きるって、素晴らしいことなんだけど、日々自分の腹黒さ（子宮の黒さ）を知っていくのね。これがまあ、本当にえげつないわけです。

言っとくけど、わたしの子宮、相当腹黒いですよ。欲望まみれで情熱的で官能的なの♪

**でもその腹黒さを自分自身の敵としてるか、味方としてるかで、だいぶ生き方が変わり、体も心も変わってくる**んです。腹黒さって、自分自身への**アドバ**

**イス**なんだよ。

ちなみにわたしの黒い子宮はこう言ってます。

**要らない縁はとっとと切り捨てて、**
**損得勘定はメリハリつけて、**
**自分に都合のいい環境をつくれよ、**
**いつまでもいいツラこいてんじゃねぇ**
**by子宮**

すごいでしょ？　でもこれって、わたしだけじゃなく、皆さんへのアドバイスでもあると思うんですよ。

わたしはずっと人に嫌われたくないがゆえに、余計な労力をいっぱい費やしてきました。だから子宮の声を聞いた時、最初はすごく葛藤しました。だけど「これが本当の自分なんだ！」って感じたら、**「この声に従わなきゃ！」**って衝動が突き抜けてしまったんです。それで実践せざるを得なかったのね。

実践してると、ご機嫌とったり扱いに手を焼くんだけれど、そのぶん子宮が全力で持ち主のわたしを味方したり護《まも》ってくれるわけです。そして、わたしの本音をサポートしてくれるんですね。

すると、ここは極楽かと思うほどに、生きることが楽になっていきました。この3年で生き方も習慣も変わり、環境もドッと変わりました。

超ワガママに仕事して、不良妊婦を経て毒ママもやってるけど、仕事も、妊娠も、出産も、産後も、結婚生活も、家族との関係も、超・スムーズ！

変なお客さんが来なくなり、イベントやセッションは常に満席。月収は夜の仕事を辞めても百万単位。結婚する時は夫婦の貯金がほぼゼロだったのに、今や旦那の岡田がごっそり稼ぎつつも、私をとっても大切にしてくれます。

嫌な縁を切り捨てたら、自分にとって都合のいい縁がやってくるし、必要な情報もちゃんと届きます。

それって〝**高まった**〟というのとは違うんですね。風通しがよくなって、〝**元**

**の自分に戻った〟**って感覚なの。なんにもたまってない、元のわたしへ、これからも、もっともっと戻っていくんだと思ってます。

だから、「もう豊かで幸せになったからいいや」とかいうのはなくて、今でも残酷に、子宮の声に従う実践をしてるんですよ。

## 自分に嘘つかない

たったこれだけのことで、風通しがよくなるんです。簡単なことなんですよ。

## 女ってみんな腹黒いんだよ。でも、それでいいんだよ！ by子宮

わたしは欲望まみれの腹黒い人間なの。でも、それが健康なの！

それに気づいたのは、今までいい人を装って、疲れてしまった経験があったから。そう考えると、無駄なことは何もなかったのだけれどね。

# 3 こんなに自分のために生きていいだなんて誰からも教わらなかった

世の中のお母さんたちは、どれくらい楽しく、無理なく子育てできているんだろう？　って、ふと思います。

自分の本音に従うことができれば、周りがガラリと変わります。わたしが子どもを産んでからもそうでした。本当に生きやすくなって、息子のじゅんせーのことがとても愛《いと》しくて、感動してばかり。甘えたりピーピー泣くのさえかわいいの。母乳を出すホルモンのオキシトシンが出ると愛情を感じるっていいますよね。多分それがゴッソリ出てるんです！

その結果**「子どもがかわいくてよかったぁ〜」「お母さんは楽でよかった〜」「結婚してよかった〜」って思うことばかりになりました。**

わたしはわたしの自由に敏感になることを訓練してるし、習慣化させてます。

だから自分の軸からズレても、直感が働き、ズレてることに気づいたりもできます。

わたしだって「自分が許せない」と思うこともあるんですよ。でも「許せない」って思う自分を許しているんです。だからワガママに子育てしてても周りに許してもらえるし、受け入れてもらえるんだと思ってます。

だけど独身の頃は素直に不安を抱いてました。「子どもをかわいく思えなかったらどうしよう」「お母さんはつらくてもやめられないんだよね」「後悔する結婚をしてしまったらどうしよう」なんて、超・心配でしたよ。

不安になるのはなぜかというと、**「幸せを受け取れない自分」「幸せから逃げようとする自分」**がいるからなんです。でもそんな不安や被害妄想の自分も自分。だから、そんな〝わたし〟を許して、とことん不安を感じ、被害妄想したらいいんです。

それをずっとやってるといいかげん飽きるんですよ。そして幸せから逃げなくなるんです。自分のために生きてもいいかな、って思えるようになる。すると案外明るい未来がやってくるんですよ。

## 自分のために生きたら、結婚も子育ても楽しいんだよ！ by子宮

でもそう思えないお母さんもいるんだよね。多分とっても多いと思うんです。だってわたしも、**こんなに自分のために生きていいだなんて、誰からも教わらなかった**ですもん。みんなそうですよね、きっと。しかも、教わってもやらなければ意味はない。とことん実践あるのみなんです。

ほとんどの人が〝誰かのため〟に生きていると思います。ビックリですが、それがご先祖代々、人類史で繰り返される負の循環です。知らずに乗っ取られていませんか？

**みんながそうしてるからって、自分も〝誰かのために〟生きてませんか？**

ここ、とっても大事ですよ！

「悪霊に取りつかれて」なんていいますけどね、自分のために生きてる人は、

変な霊に取りつかれることなんてないんです。

健康についても同じことがいえます。自分のために生きている人は元気なんです。低体温なんてないんですよ。

〝自分のために〟生きるほうへ、命があるうちはいつでもチェンジできるんですよ。ただ子どもが産まれる前にそれができていないと、子どもが生まれてから苦しくなります。

社会が子育てに厳しいっていうけど、社会が〝わたし〟を変えてくれることはないんです。〝わたし〟が社会を変える必要もない。〝わたし〟を取り戻せたら、周りが勝手に変わり、社会が勝手に変わるんですよ。子育てに優しい社会だって、そうやってできていくの。だから〝わたしのため〟に生きることが勝手に〝人のため〟に生きてることになるんです。

## あなたが自分のために生きなきゃ、社会も変わらないよ！　by 子宮

# 4 自分のためのセックスは男も幸せにするよ

女が〝自分のため〟に生きることが周りの幸せを叶えるっていうのはね、セックスもそうなんです。ひとりえっちで自分のために、自分仕様でオーガズムを迎えるように、セックスでも自分本位でオーガズムを迎えたり、自分の気持ちいいところを相手に指示したりするといいんですね。

わたしがいやいやセックスしてた時、しかも、それがバレないように気持ちいいふりをしていた時は、相手も満足しなかったし、嫌な男が近づくことも多かったんです。ところが自分本位を貫くようになったら、相手の男性たちも喜ぶようになって、いつのまにか素敵な紳士に囲まれ、お姫様扱い。相手の仕事などもうまくいくような循環が生まれました。

わたしも幸せで、周りもどんどん幸せになって、やがてわたしにはなんでもしてくれる素敵な結婚相手が見つかりました。すると、わたしを好きって言ってくれてた、他の男性たちまで喜んでくれたんですよ。ビックリです。

男が自分本位でセックスしても、女はたいてい喜ばないし、批判されることもありますよね。だからこれって女性だけの〝子宮特権〟かもしれない。

## 女は相手の体を使って自分を喜ばせるってアリだよ！ by 子宮

この話に抵抗を感じる女性って、相手に自分本位のセックスをされた時の心の傷があるからかもしれません。でもそういう時こそ、自分自身に問いかけてほしいのね。自分の体を無視してない？ 自分で自分をいじめてない？ 相手にばかり合わせて、いい人を装ってない？ って。自分で自分を大切にしてなかったら、男だけじゃなくって、誰もあなたを大切にしてくれないと思うよ。

これはわたしの経験でもあるからね。性暴力されたと言いつつ、自分に暴力ふるってたのはまぎれもなく自分自身だったってオチなんです。

# 5 結局の本音は「わたしだけを愛して！」だった

心の中にポッカリ穴が開いてるような気持ちを感じることってないですか？わたしも自分のことを知ったつもりでいたけど、ずっと、「真ん中がスッポリ抜けてる」ような、肝心の何かが見えてない感じがありました。

それが、**「わたしは愛されたい！」**って気持ちだったんですね。その本音を見つけたとき、何かが自分の中でボコンとはまった気がしました。

これって、他人からでなくてね、**わたしがわたし自身から愛されたいってこと**なんです。だから、わたしがわたしを愛し続け、その愛を受け取るようにしていったんです。そうしたら最後に、子宮から出てきたんですよ！

## 「わたしだけを愛して！」by 子宮

って声が。一体どんだけ貪欲《どんよく》なんだよ、わたしの子宮って（汗）。

だけど、ずっとイイ子ちゃんをやっていたわたしは、自分ではなく他人を愛そうとしたら他人軸に振り回されてしまう。そして、人のために自分の欲をガマンしてしまうんですね。だからひたすら自分だけを愛することが必要だったんです。自分を満たしてあげることで、外の世界に満たされた現象が現れます。

**〝自分が動かなくても、周りが自分のために動いてくれる〟**ってのを見せつけられます。これ、正直、わたしも怖いんですよ。**「えっ!? わたしだけ愛されちゃっていいの!?」という抵抗感とか、「わたし、これからどれだけ幸せになるんだろう」っていう恐怖感があるんです。それでも、ひたすらわたしだけを愛し続けていくんです。**

だけどそうしてるうちに、わたしの生き方を真似《まね》て、自分を愛して幸せになる人が増えてきました。だからわたしがわたしを愛することが、みんなの幸せにつながってるんです。

# 6

## 小さい欲を満たしていくのも、自分への愛だよ

引っ越しの時、部屋に〝シャンデリア〟をつけたいのに、そんな自分の欲を見て見ぬふりしてたわたしがいました。「まあ、シャンデリアがなくても生きていけるから……」と軽くあきらめてた。そうしたら子宮の声がしましたよ。

**自分を愛するって言ったのに、あんたホントに自分を愛してんの？ by子宮**

**〝小さな欲〟を叶えるのは、自分を大切に扱っている、自分を愛してる**って表現しているようなものなんです。だからそれをいかに叶え続けるかが大事なんですね。**ここでガマンしていると、愛を確かめたくなって、大きなリバウンドが来るんです。しかも全く関係のないタイミングで。**

**〝欲〟ってね、〝火〟のように、自分の心を温めてくれるものなんです。小さな欲を叶え続けることは、寒い中で暖炉の温かい火にあたるようなものです。**体が温まる、〝健康〟そのもののイメージですね。

**ところが、ガマンばかりをしてると、欲が爆発するんです。火薬爆弾みたいな、〝殺〟のイメージがぴったりです。**

シャンデリアごときでそんな感じならば、日々の生活の中で、もっともっと見て見ぬふりをしていることがたくさんあるはずだ、って思いましたよ。この時、自分が自分を満たしてないのに、無理して満たされたフリをしても、倒れたり何かのトラブルがあったりして、自分と向き合う時間を強制的につくらされるって感じました。講演会も、自分にウソをついて続けても意味がないと思ったから、無期限中止にしたんです。すごく勇気がいったけど、そういう気持ちをみんな受け入れてくれました。楽しみにしてくれてた人たちにとっても、わたしがもっと満たされて幸せになる姿を見せることが一番だって思ってます。

# 7 本音で生きることで世界が変わる

子宮の活動が活発になるとね、自分のため込んでた感情が出てきます。

だからセックスで活性化された時に、愚痴が出てくることがあるのね。以前わたしが夫婦でセックスしたときは、すごいのが出てきました。

**「わたしはすごいけど、あんたはすごくない」とか、「あんたの幸せはわたしの機嫌がすべてだけど、わたしの幸せにあんたの機嫌は一切関係ない」とかね。**

岡田はもうショボーン、ですよ。我ながらひどいな、と思うんですけどね。

その時は産後でもっと堂々とワガママになっていていい時だったのに、小さな気に食わなさをコツコツためてたみたい。

だけどこの言葉は**子宮が持ち主のわたしに対して言ってること**でもあるんです。結局はわたし自身が、自分にそういう扱いをしてたってことですね。たまっていた本音がセックスで膣から上に押し上げられて、言葉となって口から出ることで、初めて気づいたんですよ。だからわたしがわたしに対話してあげるんです。「ごめんなさい、ごめんなさい、その通りです」って。

口から吐き出した瞬間、それまでためてた気に食わない思いがチャラになりました。次の日わたしは、ご機嫌さんの元気満々、お肌つるつる。だからますますわたしは岡田を好きになり、岡田もわたしを好きになるんです。岡田も、言われた時のモヤモヤ感を感じきって、自分を縛る呪縛からひとつ解放されたらしい。人は一人でも生きていけるけど、自分に気づかせてくれる相手が必要なんです。二人で生きる意味ってちゃんとあるんだよね。

よく「言霊《ことだま》」が大事っていうけど、自分の本音をこめて出した**「言葉」**が**「言霊」**になるんです。本音のこもっていない言葉は自分を苦しくするだけです。

## 魂のない言葉は死んでる言葉だよ　by子宮

# 8 子宮と脳はつながっている

わたしがなんで〝子宮委員長〟になったか？ っていうとね、「女性の生き方は子宮の状態に左右される」ってわかったからなんです。

それは「子宮の状態が、脳をつかさどってる」からだと思うんですね。「女は子宮でものを考える」とよく言いますよね。男の人だったら、「肚でものを考える」って言ってもいいかもしれません。つまり、子宮が温かかったり、柔軟で弾力があると、思考がやわらかくなるんです。

人の体の中で、タイミングがなければ一番使わないのが、おまた周辺です。だからこの部分の血行をよくすれば、全身の血液循環がよくなり、脳も血行がよくなって柔軟になるんです。**単純でしょ⁉**

だけど人って何かの出来事から〝トラウマ〟などが植えつけられると、体がですよ。

緊張状態になり、だんだん冷えていくんですね。そして子宮も冷えてしまうんです。子宮が冷えると、心も弱くなって自己嫌悪したり、人を妬《ねた》んだりするんですよ。

さらにその自己嫌悪や妬みを、口に出さずに、腹にためていると、もっと子宮が冷えていきます。

冷えてしまった子宮も、温めていけば、トラウマのデトックスが促されていきます。そして、自己嫌悪や妬みのような感情も外に出ていくんですね。

ただこのトラウマが身体的なものであっても、精神的なものであっても、冷えていれば冷えているほど、デトックスの時に〝キレイ〟に、すんなり済むことがないんですね。

子宮を温めるためには、膣にエンジンをかけ温めなくちゃいけません。すると、その効率がよければよいほど、血肉細胞に記憶されたトラウマが一気に脊《せき》髄《ずい》を伝って溶け出します。そして今までため込んでいた自己嫌悪や妬みがどっと出てきて、暴れるんですよ。

以前のわたしがそうでした。子宮を温めるのが大事！　ってわかる前のわたしは、子宮けいがんや子宮筋腫を経験しました。病気のオンパレードで、精神的にも病んで、最悪の人生を歩んでました。

その時の子宮の冷え具合は半端じゃなかったんです。だから温めるプロセスではものすごく苦しみました。

自分の醜い姿を自覚したし、他人にも晒《さら》しました。人に対する妬みも恨みも、暴言と化して口から出ました。でもその時に、

## 思いっきり暴れてもいいよ！
## 全部吐き出しちゃいな！　by子宮

っていう自分の心の声を感じたんです。だからそれを信じて続けてみました。すると、トラウマを全部出すことができて、子宮の病気も治るし、10年飲んでいた便秘治療薬や漢方ともさよなら。お肌もすべすべで、ダイエットしなくてもキレイにやせました。お金も健康も家族も全部手に入れて、幸せになれたん

です。

子宮は第2チャクラとか「生命エネルギーの中心」っていわれますが、まさにそのエネルギーがよみがえってきた感覚でした。

だから今では、一度冷えきってくれたことにも、思いきり暴れたことにも、それでよかった！　って思えるし、ありがとうって、心の底から感謝できます。

## つらい人生変えたかったら、まずはわたしを温めてよ！　by子宮

子宮を温めていく方法はいろいろあります。わたしがおすすめするのは、布ナプキン、空気パンツっていうふんどし型パンツ、おまたカイロ、よもぎ蒸し、冷えとり、ひとりえっちなどです。その人にどれが合うかはわからないので、自分が好きなものを選んで、楽しくやってみてくださいね。

子宮はせっかくセクシュアルな部分なのだから、〝びしばし‼トレーニング‼〟で鍛えたらつまらないじゃない？　自分の体が気持ちいいのが一番よ！

# 9 タイミングがずれるのは子宮が冷えてるから！

子宮が温かくなれば、その本来持ってた柔軟さが存分に発揮できるようになり、子宮と連動した思考の受容力も身につくようになります。

どういうことかっていうとね、女性には女性ホルモンによる月経周期があるから、ある時ガクンって落ち込むこともありますよね。でも女にはその変化を受け入れるだけの柔軟さがあるんです。これは、自然のサイクルに連動したエネルギーの流れをキャッチしてるってことなんです。気持ちが上下するのって、当たり前なんですよ。女性は基本的に4重人格ぐらいあるものなんです。

だからいつも同じじゃなくていいのね。

**自然のエネルギーの波に上手に乗るのも女の役割なんです。**

波に乗れるようになるとね、ダメになった時にもちゃんと寄り添って、受け入れてくれる男性が現れるんです。男性にとっては、それが自分の役割だって思っちゃうんですよね。だから流れにまかせて、ひと時、ダメになるのも女の役割なんですよ。

温かい子宮で迎えるホルモンリズムの変化は、パートナーとの関係をふくめ、**人生を素敵に演出する変化**になるんです。するとちょっとした自己嫌悪に陥った時も、そんな自分がかわいく思える余裕すら出てくるんですよ。

だけど低体温で子宮が冷えてると、月経周期のタイミングが自然のサイクルに連動しなくなるんですね。だからうまく波に乗れなくなっちゃうんです。誰かに何かしてほしい時に誰もいなくて寂しくなったり、何もしてほしくない時に干渉されて「ウザい！」と思うようなことが起こるんですよ。

## 冷えた子宮じゃ、人生の波に乗れないよ！ by子宮

# 10

# 神様は試練を与えない、試練を引き寄せるのはわたし自身

わたしは震災の頃、ドン底を経験しました。あの頃はほんとにしんどくてつらかった。でもね、そこで自分と向き合ったから今のわたしがあるんです。

たくさんの大人が、こう思ってますよね。「誰かを思いっきり恨む、妬む、憎むなんて、醜い。そんなおぞましい感情を抱くことは許されない」って。

**それって発信している本人が、恨んだり妬んだりすることを自分に許可してないんです。**だけどこういう感情が出るのって、自然な衝動だと思うんです。少なくともわたしは疲れ果てるまで〝誰か〟も〝自分〟も思いっきり恨みきることで、救われました。

恨んでいるうちに、誰かや何かのせいじゃなく、**「自分が自分を苦しめていただけだった」**ってことに少しずつ気づいたんです。そこで怖いながらもその

自分を解放していったら、いつのまにか楽になってた。だったらとっととちゃんと恨めばよかった、って話だよね。

結局わたしは恨んでる誰かに「死んでほしい」と思っていたわけじゃなかったんです。**〝誰かを恨んでる自分〟が救われたかっただけ、そんな自分を死ぬほど許したかっただけ**だったんです。

「人を恨んではいけません」って思い込みがあるのって、小学校の道徳で教わったせいかな？　と最初は思ってたけど、単に醜い自分を見たくないだけだった。

だけど、恨みきってわかったのは、**〝恨み〟が浮上するのは、〝許したい〟って思いが浮上する時**なのね。**つまり、許したいから恨みが出てくる**んです。

人間の心って素敵な装置が備わってる。だから人間である自分のことを好きになったし、人ってすごいじゃん、わたしってすごいじゃん！　って思えます。

## 許したければ、恨みと向き合って！　by子宮

# 11 嫌な話は聞かなくていいよ

息子のじゅんせーはわたしが「妊娠したい！」って思った時にできた子で、父親が誰かはわかりません。妊娠当初は田舎のおばあちゃんが「子どもには男親がいないとダメだよ！」ってガミガミ言ってたんだけど、私は妊娠したことにウキウキしてて、何を言われてもザル耳でした。（そんな自分を確認できた時、うれしかったです）

でもね、昔は「怒ってくれる人を大事にしたほうがいいよ」って上司に言われて、すんごいムカつきながらも、怒った人の話を大事に聞いてたんです。だけど自分が自分を否定してる時って、怒られると「おまえはだめな人間なんだ」って言われてると思っちゃうのね。それでさらに自分を否定するようになっていくんです。

それも心の潜在的な部分にアクセスするためには、必要なひと時だったけど、今はNOです。聞きたくなければ聞かなきゃいい、って思ってる。

苦しい状況って、自分が「苦しいことで修行するのはやめよう」って思えば変わるんですよ。わたしもそれはやめて、**今は楽になることや気持ちいいことを選び続ける修行をしています。**

## 嫌な話は聞くな！ by子宮

そうしたらそのほうがよっぽど抵抗が出るし、怖いわけですよ。苦しいことを選ぶのは、そこからの〝逃げ〟なんだと思いました。なのに以前のわたしは、それを神様から与えられた試練だと思い込んでたんです。

でも**神様は試練を与えない。試練を引き寄せるのは己の魂なんです。内側の意識が外に拡大してるだけ。**自分の居場所は自分でつくってるんです。

わたしはおばあちゃんの意見は聞かなかったけどね、自分に都合のいいことを選択していったら、妊娠中に岡田と出会い、結婚して、じゅんせーには男親がちゃんとできたよ。

だから、おばあちゃんの「子どもには男親がいないとダメだよ！」という言葉は、「あんたは何もしなくていいんだから、なんでもしてくれる夫が必要かもね」という子宮からのお告げだったのかも。それがおばあちゃんの口を借りて出てきただけかもしれないね。

# 12

# 自分の腹黒さに正直になれば、自分の健康は自分で決められるよ

前に「ゴキブリ並みの生命力を目指してます」って言ってたら、「ゴキブリの脳が、致死性の大腸菌やブドウ球菌を死滅させることが判明！」ってニュースを見つけました。だからってゴキブリを食べたくはないけど、不潔だからこその抗生物質っていうの？　何だかわかる……。

わたしも経験あるんですよ。いろいろな疾患を抱えてる時に、お風呂に入る気力もなくて、歯も磨こうとも思えない、洗濯物や食器はどっさり、食い散らかし、ホコリまみれ。めっちゃ不潔！　だったことが……。

でもどうしても無理なものは無理だった。そうしていくうちに体や住まいだけではなくって、**精神的不衛生**になっていったのね。**だけど、それこそがわたしがよくなった要《かなめ》だったんだよ！**

**「精神的不衛生」っていうのはつまり、「非道徳性」ね。**「みんなで仲良くしましょ～」「人として恥ずかしくないように～」っていうのを、「うぜー！」の一言でやめて、**思いっきりやさぐれたん**ですよ。

◆メールが来ても、**「返せねーし」**

◆電話が来ても、**「今、気分じゃねーし」**

◆お誘いメールや電話には、**「用があるならおまえが来いや」**

◆仕事を当日になって休みたくなって、**「休んでも死にはしないだろうし、それでわたしをクビにするなら店ごと潰《つぶ》れろ」**

（結果→クビにもなってないのにほんとにお店が潰れちゃった）

◆お店のお客さんに「かわいくない」と言われ**「いや、あんたは誰からも愛されたことないでしょ」**（結果→お客さんからものすんごく謝られた）

◆「やる気がないのは病気だよ」と元カレに言われ、**「休めないあんたが病気だよ」**（結果→いっぱい服買ってもらった）

それまでイイ子ちゃんやってたわたしは、たまりにたまったものが噴火して、一気に悪い子になったんです。

やさぐれたことなんてなかったから、やってみたらすっごくすっきりの連続で、「自分にもできるんだ」って心の底から満足できた。

これが自分を大切にするってことなんだよね。「子宮の声に正直になる」って、楽なことではないんだけど、できると感動！　なんですよ。

しかも、丸裸の本音を言ったら、予想外の展開で自分の立場が優位になっていったんです。立場が優位になると、さらに自己重要感が満たされて、相手にも素直に謝れます。すると誰とでも相思相愛になれるんですよ。

それでみるみるうちに体が楽になって、心の風通しがよくなったんです。周りも優しくしてくれるようになって、人間関係も家族関係もよくなり、お金も回るようになりました！

わたし、本当はずっと**わたしを一番大切に扱ってほしかったた**んです。だけどその本心を押し殺して、他人に親切にしてたもんだから、子宮にたまりにたまった感情が大噴火を起こしてしまった。子宮は**感情圧縮袋**だったんですね。だから子宮の病気になって、心も病んでいったんです。

すると今度は、体が不調だからといって健康情報に食らいついた。でも最初は斬新で楽しかったはずなのに、そのうち情報に踊らされるわけです。食べ物の毒が気になって、何を食べていいかもわからなくなったりして……。

**でも、毒っていうなら、ゴキブリなんて、むちゃくちゃ気持ち悪いよね。人から見たらめっちゃ汚いもの食べてて、汚いところが好きで、自由自在に生きてる。なのに、あの存在感！　しかもそれが人の体にいいってナニよ!?**　ゴキブリを見た時の気持ち悪さの根源って、ほんとは汚れた自分になれないがゆえの、全身全霊の嫉妬なのかもしれない（笑）。

**めいっぱいやさぐれな！　ふてくされな！**
**自分の腹黒さに正直になりな！　by子宮**

医学的根拠はないけどね、イイ子ちゃんだった人がこれをやると、心の免疫も体の免疫も思いっきり上がるような気がします。少なくともわたしはそうだったからね。

# 13

# 健康情報に毒されたくないから、不良妊婦になってみた

以前からわたしは、同じことをしてても病気になりやすい人とそうでない人がいるのはなんでだろう？　って思ってました。

〝経皮毒〟っていうのがありますよね。皮膚から吸収された有害物質のことで、それが女性は子宮にたまりやすいっていいます。「妊婦さんの羊水からシャンプー臭がした」って本当にあったらしいし、髪染めの色が膣から出てきたっていう話を体験した本人から聞いたことがあります。でも、その影響を受ける人と受けない人がいるんですよね。

わたしが体が不調で心が不安だった時は、健康情報を見たら、さらに不安があおられて不健康になりました。でも自分に素直に生きるようになったら、免疫力が上がって病気になりにくくなったのね。妊娠中も普通のシャンプー使っ

たりしてたけど、生まれた息子のじゅんせーは健康だし、発育にも全く問題なしです。だから今では、**自分の健康ルールは自分でつくるものだ**と思ってます。

子宮の声を聞けば、妊娠・出産でも、赤ちゃんの声が聞こえるようになって、何を食べたらいいか、どうしたらいいのかわかるようになると思うのね。

「赤ちゃんに何かあったらどうしよう」って不安で、妊娠中に食べ物を必死で制限したり、育児書ばかりに頼って、その通りにならないと不安になったりするより、自分の声を聞いたほうがいいと思うんですよ。

## 健康情報よりわたしの声を信じてよ！　by子宮

この声を無視してると、嫉妬やイライラがたまってやがて大噴火します。そして家族の関係が悪くなったり、不安が現実化していくんですよ。

毒を気にしない親に「赤ちゃんがかわいそう」っていう人は、〝不安〟っていう自分の気持ちを押しつけてるんじゃないかと思うよ。勉強することは悪いことではないけれど、**自分（子宮・魂）の声というベースがない知識は、ゴミ**

**になってしまうと思うのね。**

**逆に自分ありきで勉強するいろんなことは、なんでも自分をサポートしてくれるチカラになるよ。**サプリや健康食品や食べ物も、自分の気持ちいいものを選んでいたら、きっと自分のためになってくれると思います。

# 14 膣さえあればわたしは生きていける。あとは誰かがなんとかしてくれる（*´-`）

人生のどん底まで、落ちるまで落ちたわたしだったけど、そのおかげで、**「膣さえあれば、わたしは生きていける」「あとは、男（オトコ）がなんとかしてくれる！」**って思えるようになりました。これって結構な女の悟りじゃない？

わたし、絵本が好きで「いつか子どもが生まれたら……」と思って好みの絵の絵本をたくさんコレクションしてたんです。でもある時「〝今〟子どももいないから捨てよう」とふと思った。だから思いきって捨てたんです。そうしたらじきに妊娠して、結婚もしました。

服もね、「痩せたら着よう」と思ってた服を「〝今〟着れないんだから捨てるわぁ」と、ぜーんぶ捨てた。その途端、思いっきり痩せました。

いらないものを捨てていったら、どんどん風通しがよくなって、心も体もすっきりしたよ。

結局、ものの整理が、思考の整理だったんですね。頭にいろんなものがごちゃごちゃ詰まってると、それ以上は入ってこないし、「思考の肥満」になるんです。

自分に正直に、欲しいものを欲しいっていってると、いらないものも手放せるのね。〝今〟必要じゃないのに、「もう手に入らないんじゃないか」という不安や、「みんなが持ってるから」なんていう他人軸で持ってたものとかを捨てていったら、本当に必要なものは実は少ないんだって思いました。

「ものがなくてもなんとかなる！」って安心できるとね、本当に自分が欲しいものは、ちゃんと手に入るようになってるんです。

今のわたしは**〝全部なくなっても大丈夫。膣さえあれば、わたしは生きていけるから〟**って覚悟があるから、安心して時の流れに任せられます。

## 〝今〟いらないものは捨てな！ by子宮

# 15 月経うつ(;∀;)体の欲求に従えば頑張らなくてもうまくいくよ

生理の時って葛藤があって、ふと悲しくなります。気持ちが「うつ〜」ってなって、なんにもしたくなくなる。

でもそんな時は何もしなくていいんです。わたしは生理の時になんにもしない生活を目指していて、実際に休むとね、本当に効率よく、楽しい**お金が湧き出てきます！** お金に余裕ができると、時間にも心にも余裕ができて子育ても楽になります。これが女の生き方であり、力なのね。

だけど、今のオス化した女子には〝疲れたら休む〟っていうただそれだけのことが、とても難しいんですよね。以前の私もそうだったんです。「生理で休む」っていうのは、**他の誰よりも、自分自身に許可するのが、一番しんどいし、勇気がいります。でも、**

## わたしに優しくしてあげたぶんだけ、世界も優しいよ　by子宮

とくに子どもがいると、〝母親だから休めない〟って思う人もいるかもしれない。でも〝母親とはこういうもの〟っていう呪縛や常識の枠を外して、自分の体の欲求に従ったらいいいんです。

今のわたしは、恐ろしいくらいにわたしのリズムで生きてるけど、誰からも呪縛や常識を押しつけられません。岡田は優しくしてくれて、まだ1歳前のじゅんせーすら、父親みたいに見守ってくれます。だからわたしは、ずっと独身の時と変わらない〝わたしらしさ〟を保っていられるんです。

閉経した方は、生理のサインがないぶん、より一層自分の体に耳を傾ける能力が必要にはなります。だけど、それができれば、〝繁殖期〟の女の比にはならないほど、「女の底力」を発揮できると思いますよ。

# 16

## 女性の使命〜「笑っていること」「健康であること」「美しくあること」〜

女性の使命は「笑っていること」「健康であること」「美しくあること」だと聞いたとき、それまで人のために生きて、疲れていたわたしには、響きました。「女は女らしく」「女の子なんだから」「女性の品格」なんてことばっかり聞いていたから、「あれ、女って自分のために生きてたらいいんだ」ってね。

だけど、**女がね、自分に無理してたら、笑えないし、健康にもならないし、美しくないんです**。なのに誰かに好かれたいからといって、無理やり「笑ってるふり」「健康なふり」「美しいふり」をしていても、それは自分を破滅させます。

**それで、自分の人生を生きられるの⁇　by子宮**

わたしもそんな「ふり」をやめてからは、気配りもおだてることもできなかったけど、男は一生懸命に尽くしてくれました。以前、つき合ってた彼に、「ねぇ、わたしのどこがいいの？」ときいたら、「怪獣みたいなところ」と言われました。怪獣って、喜怒哀楽の感情を出していることなんだって。超・笑いました。その笑顔を見て、彼はもっとわたしを好きになってくれたのね。

**自分が笑いたい時に笑ったらいい。その笑顔には１２０％のパワーがあるから。**

女が自分の世界を大事にするとね、自分中心に世界が回っていくんですよ。そうすれば、自然と笑顔になれるし、健康になれるし、美しくなれるよ！

# 17

# 女はぶっちゃけ生きているだけでいい

女は、外で働くな。勉強するな。

って、昔ふうにいうと、まるで男尊女卑に聞こえてしまうかもしれないけれど、これって、

「女は、外で働かなくていい、勉強しなくていい」

ってことだと思うんですよね。

わたしの勝手な解釈では、昔の〝男尊女卑〟システムは〝女が差別されてる〟んじゃなく、〝女に都合のいいシステム〟だったのだと思うのです。

**〝外で働かなくていい、勉強しなくていい〟**。実はこれ、**女の才能**なんです。

わたしはそれに気づいちゃったのです。わたし自身も、たくさんの勉強をしてきたし、体がボロボロで病気になるまで働いたこともあります。でもそれを何

回も繰り返して、ようやく気づけたのです。**子宮をぽかぽかにして、それを中心に、笑って泣いて怒って喜んでいるだけでいい。嫌なことはやらずに、好きなことだけやってればいい。**

**女はぶっちゃけ生きているだけでいい。**

**働きたいのなら、その基礎をクリアしてからね、**ってことをね。

わたしはそれをずっと発信してきました。そしてわたし自身も必死で自分に還ってきました。だからこんなに幸せになれたんです。

今、「男女平等」といってるけど、それって、女の本来の生き方を無視して女に〝もっと頑張れ、男みたいに働け〟ってことだよね。でも女の社会進出ばかりがこれ以上進んでいったら、もういよいよ**国の機能は麻痺《まひ》し、繁栄しない国になると思うのね。**

この話で怒りを覚える人もいるかもしれません。「私は男に負けたくない」って。でもね、そういう人は、自分を犠牲にして〝無駄〟に頑張ってるんじゃないかな。**女が自分を犠牲にしてたら、はっきりいって、いくら頑張っても無**

**駄**なんですよ。どんなに頑張っても、女は幸せにならないし、家族も社会も国も報われません。

怒りを覚えたということは、これまで大切にされなかった子宮であり、本当の自分が、あなた自身に怒っているんですよ。その怒りにあなたが反応してるんです。

## あなたが子宮（自分）を大切にしないから、あなたが社会から大切にされないんだよ by子宮

〝自己犠牲〟も〝ガマン〟も根は深いから、毎日毎日、命をかけて〝楽〟することを選択しないと、それが〝クセ〟になってくれるまで相当な時間がかかります。でもそれを続けてみて。あなたが幸せじゃないと、誰も幸せにはならないよ！

# 18

# 子宮への依存は子宮を温める(、∀´*)♡
# 依存へのタブーと子宮の冷えの原因

〝依存〟って今の世の中から見たらかなりタブーだと思うんですね。**「依存するな！」「自立しなさい！」**っていうのが当たり前みたいになってる。これってかなりの呪縛だと思うんですね。

わたしは、「自立しなきゃだめなんだ」と思って、他人に頼れなくなっちゃうのを**〝自立依存〟**って呼んでます。過去のわたしがまさにそうでした。自立依存してたら、心も体もかなり壊して、「もう一人じゃ無理！」ってところまで行ったんです。

それから人に素直に依存したり、頼んだり、お願いしたりするようになって、だんだん元の自分に戻っていきました。結局依存することでわたしの人生は好転したんですね。

**現代女性って自分一人でなんでも頑張っちゃって、頼ることを知らないんですよ。**だから自分が誰かにとことん頼られたり、頼ってばっかりの人がうまくいってるのを見せつけられて、腹が立ったりするんです。あるいは、自己犠牲的に「これはわたしのせいなんだ」と思ったりね。でもそれって〝**その頼るところを真似たら、幸せになれるんだよ**〟っていう**子宮からのお知らせ**だと思うんです。

わたしもね、〝自立依存〟だったからそれを止めるのが大変なんです。したほうがいいのか、しなくてもいいのか葛藤しながら、その狭間を行き来しています。

しかも「頑張ってないのに、うまくいっちゃう」ことがあると、そのシチュエーションに慣れてないから、「それまでのわたしは一体何をしてたの？　どれだけ努力をして自立しようとしていたの？　その先には不幸感しかなかったのに……」って過去の自分がいやになる。

〝自立の呪縛〟を解くには、**ほんっっっとに「努力しない」努力が必要なの！**

だからわたしは「頑張らない」ことを頑張ってるんです。でもそうすることによって、やっぱり体が賢く、健やかになっていくんですよね。

なんでもそうだけど、〝努力することで成果を得られる〟ってよくいわれるじゃない？　わたしも体調が悪いとき、さすがに自宅トレーニングとか、食事節制したほうがいいのかな？　と思っちゃったんだけど、**〝自己犠牲の気持ちがあるならやらないほうがいい〟**と感じたからやめました。

それからはボディーセラピストさんに頼んで施術してもらっています。そのセラピストさんはすごくて、「あなたはなんにもしなくていい」って言うんですよ。

セラピーもそうだけど、**何事も自分を信用できてないと、相手に何かを委ねるのって無理**なんですよ。セックスと同じよね。「依存はいけません」って言って自分でなんでも頑張っちゃう人は、自分を信用してないのかもしれない。それだといいセックスもできないし、セラピストさんなんかでもいいセラピーができないと思うのね。

だけどね！　わたしもそうだったんだからね！「自立しなきゃ！」「人に頼っちゃだめ！」って思ってたのは、過去のわたし。

**……でもね、それが子宮の冷えの一番の原因なんだよ!?**

わたしはね、とくに女性には、**「人のせいにしてもいいから、自分のせいにだけはしないで。都合よく子宮のせいにしてください」**って言うんです。あなたのせいではなくって、子宮が冷えてるから、そのせいなんです。

## 人のせいでもなく、自分のせいでもなく、子宮のせいなんです　by子宮

子宮は月や他の星などの影響を受けるんです。**その宇宙のリズムを、自分の意志でコントロールすることはできないよね。**

**そして子宮と心は連動してるから、子宮が弱い時期は心も弱くなるんです。**

出産後ってどんな産み方したってつらい時期が続きますよね？　それは子宮が内臓損傷しているようなものだから、心が影響を受けるんです。そこで「自

立しよう」って思うほうが無理じゃない？

だからね、たまには何かのせいにしてみたり、何かに依存してみてはいかがでしょう？

今のわたしは、いつもわたし以外のせいにしているし、依存ばっかりしているし、頼ってばっかりです。それくらい意識していないと、わたしは自分を責めてしまったり、自分一人で頑張ってしまって子宮を冷やします。

だけど女が自分を責めて、子宮が冷たくなってたら、自分を滅ぼし、パートナーを滅ぼし、家族や地域や会社を滅ぼします。**しまいには地球を滅ぼしてしまうってわたしは思っています。**

# 19 甘えたりワガママ言うのはわたしにとって〝勇気〟と〝訓練〟の繰り返し

なかなか家族に甘えられないわたしだったけど、お産で帰省したときは、家族にいっぱい甘えられました。農家で田植えの時期だったから、わたしの面倒見てくれる人いるのかな？　と思いきや、お母さんが家でご飯つくるって言ってくれたから、「じゃあよろしくね～」って、安心しておまかせです。

出産で実家に帰った人が「実家に帰っても甘えられないなら、ストレスたまるだけだよ」って言ってたけど、確かにそう思うのね。「しっかりしなきゃ！」って自分にムチ打って生きてた過去のわたしだったら、実家に帰っても甘えられなかった。人の言葉がイヤミにしか受け取れなかったりして、きっとストレスのたまる現象を自分から生み出してしまってたと思う。

甘えたり、ワガママ言うのはわたしにとって〝勇気〟と〝訓練〟の繰り返しだったんです。それくらい難しかったんですよ。でも幸せになりたかったから貪欲に頑張ったのね。その結果お母さんに「よろしくね～」なんて言えなかった私が、今では甘えられるようになったんです。

不思議なことに、**自分が甘えたり、ワガママやってると、誰かが困ってる時に空気を読まなくても、たまたまその人に必要なことをわたしができたり、必要なものをあげられたりするんです。**

ただわたしが笑顔になっただけで、相手がいやされたり、たまたま言ったことが、相手に必要な言葉だったり。だから帰省中、ふてぶてしいほどワガママだったのに、家族のみんなには喜ばれてたみたい。〝ギブ・アンド・テイク〟って〝もらったから、返さなきゃ〟と義理でしてるとつらくなるけど、自分が自由に自分らしくしていると勝手に起こるんですよ。まず自分を思いやると、他人を思いやらなくても、**自分が生きてるだけで他人のためになるんです。**

**他人を思いやる前に、まず自分を思いやること！　by子宮**

# 20 なんで〝子宮の声〟を聞いて幸せになるのか（*>◁<*）その1

わたしが「子宮の声を聞いていれば幸せになるよ！」と言うと不思議に思う人もいるようです。「なんで？　体は子宮だけで成り立っているわけじゃないよね」って。でもね、万人は子宮から生まれてくるんです。実はそれがポイントなんですね。

あなたがまだお母さんのお腹の中にいる時は、お母さん（実母）の子宮にたまった感情の中で育ちます。その感情は、生まれてからもあなたの生き方や考え方に影響を与えます。

あなたがいろんなことから影響を受けるのと同じく、お母さんもいろんなことの中で生きてきました。人類の歴史や、魂の歴史、社会の歴史もあるし、お母さんのお母さんから**引き継いだもの**もあります。これはお母さんが悪いとか、

〈自分がお母さんの子宮の中にいた時〉

歴史などのお母さんに影響を与えたものが悪いというわけではないんです。ただ、**「自分はお母さんの子宮にたまった感情の影響を受けているかもしれない」という疑いが大事なんですね。**

お母さんの子宮にたまっていた感情は、その影響を受けたあなたの持ってる子宮と**共鳴**します。その抑圧された感情を、わたしは「カルマ粒」と呼んでいます。

さらに、この子宮の中はあなたの**魂**が御座《おわ》すところです。男女共通でいえば、おへその下の丹田《たんでん》と呼ばれるツボから下あたりと思ってください。

〈子宮の中に自由な魂がある状態〉

## 本来は魂って、何にもとらわれない「超絶・自由！」なものなんですよ

ところが、子宮に抑え込んだ感情が、抑圧するエネルギーとなって、魂を抑えつけてしまうんです。すると子宮の中の魂は、〝自由度〟を失ってしまうんですね。それで体と魂が葛藤して、疾患を引き起こす場合も少なくありません。

**子宮の声を聞こうとすればどうなるか？　というと、自由であるべき魂の**

〈子宮の中の魂が自由度を失ってしまった状態〉

**声も、カルマ粒（抑圧感情）の声も聞こえるようになってくる**んですね。さらに、カルマ粒を外に出して解放していくために、必要なことを魂が教えてくれるようになるんです。

　魂には常に**〝今〟**しかないので、**〝今〟あなたがすべき行動や心構えを教えてくれます。**

　言い方を変えれば、子宮のあたりが体、心や思考、人間の全部をひっくるめたその人をつかさどる〝中心〟なんです。だから、**子宮を意識すれば〝本当の自分〟に触れて〝底力〟を出せるようになるんですね。**

## 本当のわたしを解放して！　by子宮

これが魂の声なんです。

物理的に手術などで子宮がなくなったとしても、この部分のエネルギーは残っているので、同じです。

# 21 なんで〝子宮の声〟を聞いて幸せになるのか(*>◁<*) その2

子宮の声はあなた自身の本当の声であり、何よりも大切なものなんです。それなのに、子宮からの自然な衝動をまるでなかったことにして、自分を表現することができないなら、あなたが自分を虐待してるってことになるんですよ。

## それってわたし(自分自身)への裏切りだよ! by子宮

そんな方はもれなく社会や家族、パートナーなどから、期待を裏切られ、つらい目にあわされます。そして精神的か肉体的に苦しめられるんですよ。

あなたがあなたの子宮を大切にできないと、宇宙はあなたに優しくしてくれないんです。逆に、あなたがあなたの子宮を大切にするのなら、宇宙はあなたを大切にしてくれます。

## 子宮は宇宙だよ！ by子宮

**それと、子宮が便利なのは、〝おおざっぱ〟というところです。簡単なこと、当たり前のことしか言わないいし、教えてくれません。**

世の中のスピリチュアルヒーリングとかボディーセラピーもいいけど、ちょっと複雑でめんどくさいですよね。ガイドとハイヤーセルフと先祖の声があったり、体のツボやエネルギーセンターがいっぱいあったりとか。もっとシンプルでいいんじゃないかと思うんです。

少なくともわたしは、子宮を大事にすることだけ実践して、幸せになり、豊かになりましたし、今のところたくさんの女性に受け入れられてます。

魂うんぬんじゃなくても、物理的にも、子宮力がないと子孫繁栄しませんよね。いわば実質的な国の礎《いしずえ》でもあります。だから女性なら子宮に意識を持っていってほしいなあ、って思っています。

# 22

# 〝子宮〟と〝脳〟のバランスは天秤ではなくピラミッド☆〜〝冷えとり〟や〝温活〟のプロセス〜

子宮とか感覚のことを説明してると、脳や思考について書きそびれることが多々あります。でも別に、〝脳は不要〟といっているわけではないんですね。子宮と脳どっちが大切かといえば、どっちも大切です。ただそのバランスが大切なんですね。

〝バランス〟といったら、天秤《てんびん》が釣り合うようなイメージをされるかと思うのですが、天秤よりピラミッドのイメージのほうがわかりやすいと思います。体での位置づけも頭が上にあり、子宮が下にありますが、それと同じです。

それでね、現代人はいつもどこか不調を抱えてたり、「なんだか人生がうまくいってない」っていう人が多いですよね。**そういう人の体のバランスって、こんな感じです！**

**〈子宮と脳のバランス〉**

**下半身が冷えて、上半身が熱っぽいんです。**

そうすると頭に上った気が多くなりすぎて、次のような状態になるんですね。

- 頭がぐるぐるすることが多々ある。
- 自責グセがある。
- 人の目ばかりが気になる。
- 自分を信じることができない。
- ついつい頑張りすぎてしまう。
- 常にだるい。
- 肩こりがひどい。
- ストレスがたまりやすい。
- 弱さを見せることができない。
- プライドが高い。

〈不調な人〉

- 感情に振り回される。
- 他人からの頼まれ事を断れない。
- NOを言えない。
- 幸せなふりをする。
- 考えすぎて疲れる。
- 頭が冴《さ》えすぎて眠れない。

こんな状態になっている人いませんか？

エスカレートすると病気になったり、精神疾患になったりします。子宮も冷えるので、生殖器系の疾患にもなりやすくなります。さらに、体調ばかりか、人生にまで大きな影響を及ぼします。

逆に、**健康でいろんなことがうまく**

**〈絶好調な人〉**

**いっている人は、こんな感じです！下半身に熱を帯び、上半身がクールな状態です。**そんな人はこうなります。

- 子宮（感覚）を助けるような思考の動き方をする。
- 願えば叶う、幸運体質。
- 冷静に物事を判断できる。
- 自分を優先しつつ他人を信用することができる。
- 〝休み〟や〝動き〟のリズムを知っている。
- 心地よいことと気持ち悪いことを感じられる。
- 自分の好きなことがわかる。

•自分が弱いことを知っていて、隠すこともしない。
•自分の直感を信じて動くことができる。
•自分の幸せが何かを知っている。

わたしは以前は前者（下半身が冷え、上半身が熱い）でした。若い時は一生懸命頑張ろうとすれば、最初は頑張れるんですよね。でも、無理がたたってついに病気になりました。

病気になった時、一番最初にしてみたのは**〝冷えとり〟**と**〝温活〟**でした。**食べ物を変えたり、半身浴をしたり、運動したり、ホッカイロを貼りまくったり、岩盤浴に行ったり**と、とにかくいろんなことをして温めたんです。

この〝冷えとり〟や〝温活〟で、一度頭に上りきってしまっている〝気〟をグングンと下半身に下ろしていくと、子宮の力が発揮できるようになります。すると脳も本来の働きをしてくれるようになります。体の底力をつかさどる骨盤底筋群が柔軟になり、心の底力もついて柔軟になるんですね。

脳みそ自体にも考える左脳とか、感じる右脳とか、バランスがあるけれど、全体の動きをよくすることがまず大事なんです。要するに、

**「膣が活性化されれば、子宮が温まる→子宮が温まれば、卵巣のホルモン分泌のバランスがよくなる→卵巣が動けば、腸が温まって、便秘や下痢がなくなる→腸が温まれば、胃袋の調子がよくなって、自律神経が整う→胃袋の調子がよくなると、感情に振り回されることがなくなり、肝心な時に冷静になれる→心の風通しがよくなると、自分を表現するための声も出る→声が出るようになると、直観やひらめきが確実なものとなり、詰め込んだ知識が自分の可能性のために働いてくれる」**

という流れなんですよね。

生命エネルギーって体の下から上へ、上昇する流れなので、おまただけケアしていると、それより上は放っておいてもケアされちゃうんです。

この一連の流れは、一度経験すればクリアっていうわけではなく、何年もかかってもおかしくありません。でも少しずつ楽になっているのが自分でわかる

から、変化するごとに、発見がたくさんあって楽しいんだよね。

だからまず下半身の冷えをとってね！　最初は温めるものならなんでもOK！　食べ物を変える、半身浴、運動、ホッカイロ、岩盤浴など、まずはやってみたらいいんです。

一番大事なのは、そのプロセスの中で、**〝ガマン〟して体に蓄えた感情が、ぶぁーーーー！！！って出てくる。**ということです。ガマンしていたエネルギーは膣から活性化され、下から上へ押し上げられるんですよ。

その自分と向き合って、ちゃんとコミュニケーションとってくださいね！

どんな自分かというと、あれよ、あれ！　**腹黒い自分ね！**　膣にはえげつない感情がたまりやすいのよ。

だから見るのが怖くなるかもしれない。でもそんな自分自身とコミュニケーションができるようになると、いつのまにか他人ともコミュニケーションがとれるようになります。人との対話がうまくいかないのは、自分との対話がうまくいかないから。膣はコミュニケーションの原点なんです。**生殖器の温活を始めると、のどを痛める方が少なくありません。それは、自分の中のたまった感情が出ようとしてるってことです。それをちゃんと吐き出してくださいね！　でないと、またガマンが逆流しちゃいます。**

感情の解放プロセスが一番難しいけれど、これができると、外側から温めなくても大丈夫になります。

たまった感情を解放しないと、いつまでも外側から温めないと温まらないんです。しかも何気にお金がかかったりして……。だから、温活や冷えとりは解放のキッカケにしかすぎないと思ってくださいね。

わたしも、蓄えた感情を全部出しきって、腹黒い自分と向き合うことを続けました。そうしたら今では、もう何も努力しなくても子宮がぽっかぽかです。体を冷やすといわれる砂糖も、ジャンクフードも食べて、夜更かしして、スマホとパソコンも大好き。運動も一切しません。たまにセックスするくらい(笑)。しかもニコチン中毒でとても不摂生な生活してます。だけど、35度台だった低体温が今は、37・0度前後で、健康です。

いつまでも温活や冷えとりしないと温まらない人、ちゃんと自分の本音に気づいてますか？

自分を知るには、膣の奥まで自分の指で触るといいですよ。それができないというのは、自分自身に触れるのを拒むことと同じです。

だけど、中途半端にしかできなくて、「本当は幸せになりたいけどなかなかうまくいかない」と四苦八苦しているのであれば、一度とことん潰れてしまうこともありかなと思っています。人って一度落ちるところまで落ちて、廃人・生き地獄を経験すると、自分の本音に向き合わざるを得なくなるんです。

## 生殖器は、自分や人生や地球の土台！ by子宮

子宮のない方は、膣だけでも十分ですよ。しっかり活性化させてくださいね！

# chapter 2

# はる流幸せな家族
## ～家族との関係も自分中心でいればOK～

# 1

# もっと自由になるために結婚&出産 ((o(>◁<)o))

そもそもわたしって、嫌いだった夜の仕事をしてる自分と向き合いたくて、豪快にカミングアウトしたのね。自分でも自殺行為だったと思うんだけど、言いたくて言いたくてしょうがない衝動があったからそうしました。

そして後先考えてる暇もなく、〝孕《はら》ませられたい〟衝動で勝手に妊娠して、その後、岡田という物好きな男が寄ってきて、誰の子かわからない子どもを妊娠してるわたしと結婚してくれたんですよ。

**わたしはわたしにまかせた！　そしたらやっぱり奇跡は起きた！　みんなに愛された！　そして、何よりも自分に愛された！**

その時のわたし、「子どもも産んで結婚もしたら、もっともっと自由になれるのが楽しみ!!」って思ったのね。

# chapter 2

はる流幸せな家族
～家族との関係も自分中心でいればＯＫ～

その時の思い通り自由になったけど、わたしは今でももっともっと自由になりたいと思ってます。だってこの体あってこその地球の旅を、目いっぱい楽しみたいから。今の一瞬一瞬が一度きり。もう二度と経験できない。悩んでる時間がもったいない。次は何をしようか？　って毎日ワクワクしてます。そんなわたしの魂の喜びをわかち合える身近な人が、岡田とじゅんせーなのね。

で、気がついたのが「あれ、もっと前は結婚も出産も自由がなくなるものだと思ってたな」ってことです。**結局、結婚や出産で自分を縛ってしまうのは、他の誰でもない、本人次第じゃない？　ってその時思ったよ。**

実は夜のお仕事をカミングアウトしたときも、同じように解放感があったんです。これから何が起こるかわからなくって、とってもドキドキしたけど、それが楽しかった。あの時は恐怖もあったけど今は減りました。なぜなら、〝どんな時も自分で自分を裏切らなければいいんだ〟ってことを知ったからです。

今のわたしは〝**何があっても、わたしにはわたしがいる！　わたしはわたしを縛らない。わたしはわたしを裏切らない**〟って信じてます。

今は世界中で自分が一番大好き！　やっとそう言えるようになりました。これって単純だけど、難しいですよね。もしかしたら、現代に生きる人たちにとって「自分に愛される」ことは最大の奇跡かもしれないね。

**わたしにはわたしがいる。**

**わたしにまかせて！　by子宮**

# 2 「○○のために」「わたしが悪い」は今すぐやめよう

岡田とは一緒にお話会などをしてるんですが、彼の話で一番印象に残ったのが、**感情＝体の状態**っていう言葉です。

心と体はイコールであって、心の状態が体に影響し、体の状態が体に影響するのは知ってたんですね。それをもう一段落掘り下げたのが「感情＝体の状態」という感じで妙に納得しました。

わたしは体にいい食べ物や環境のことを勉強すればするほど、毒情報に振り回されてしまった時期がありました。いくら勉強しても体はよくならないんです。

で、それをやめて〝自分の感覚優先！〟にしたらうまくいくようになったのね。ためてた感情を全部出して、あらゆる疾患がすべて完治しました。岡田もアトピー体質なので、食べ物にも少し気をつかったそうですが、感情のことに集中して体を治してます。

わたしの経験からいって、〝恐れ〟や〝不安〟からガマンを強いる生活って体調を崩すんです。それと、自分以外の「○○のために！」ってやってるのも、意外かもしれないけれど、生殖器を冷やす原因になるんですよ。「○○のために！」をしたい心の底には、自分が自分を愛せないから、誰かに愛されないと不安で怖い、っていう心理があるんです。

## 「（自分以外の）○○のために！」「わたしが悪い（自責）」は生殖器を冷やす2大要因！ by子宮

つまりは、食べ物が〝毒〟なのではなくって、人の心のほうに〝恐れ〟や〝不安〟っていう毒があるんですよ。

ベジタリアン、マクロビオティック、オーガニックなど、体にいいものも楽しんで継続できるのなら全く問題ないと思うし、超幸せそうな人もいますよね。でも〝**毒が怖いから……**〟と恐れていると、どんどん不安にさせる情報ばかりが集まってしまいます。

お砂糖はダメ、添加物はダメ、放射線はダメ、電磁波はダメ、重金属はダメ……など、どんどん増えてつらくなってる人いませんか？　わたしもそれを経験して、心の毒のほうがずっと影響してるってわかったんです。

そういう目で見てるとね、健康情報を発信してる人って自分に満足してるのかな？　って疑問になるんですよ。人間の体を知り尽くしてる人だったら、人間のパートナーとも満足のいくセックスしてるし、関係もうまくいってるはずだけど、そうは見えなかったり……。地球や世界や日本がまるで「終わってる」ように言うのは、自分自身に失望してるからじゃん？　って思うよ。

で、わたしの経験から、情報をたくさん取り入れて頭で食べるのも大切だけど、それを**いちいち考えなくても、体は本当に食べたいものを知ってる**って思うんだよね。自分の直感を信頼してれば、ほんとに必要のないものは視界にも入らない、思いつきもしない自分になり、食べていいものはバランスよく集まってくると思うんだ。

わたしは自分の感情を整理していったら、抱えていた問題や悩みがどんどん減り、体が健康になるだけじゃなく、勝手に環境も整理されていったのね。他に振り回されなくていい環境ができて、今は自分の〝感覚〟だけに集中できます。

今わたしには、家族からちやほやされ、いつでも爆睡できて、誰かがご飯つくってくれて、掃除、家事しなくてもいい、お金の心配もいらない、快食快便でいつもご機嫌でいられる生活環境と体があります。だからとくに、いくらでもある健康情報に振り回されず、自分のカンを信じることができるんですよ。

恵まれた環境も確かに嬉しいことだけど、この**自分の〝感覚〟だけに集中するっていうのが一番肝心**だって思うんです。

# 3 女の罪悪感が消えたら世界がＨＡＰＰＹになる

わたしは不良妊婦してた時、罪悪感みたいなものが全くないわけじゃなかったんです。とくに自分が勉強してきた食事や環境の知識を全部くつがえすわけだから、怖いんですよ。挑戦中っていつも **〝どうなるのかなっ‼〟** というのが怖くもあり、楽しみでもあるんです。**〝わくわく〟〝ドキドキ〟** で心がおどってる感じです。でもそうやって挑戦し続けてるとね、自分に必要な情報がちゃんと届くんです。

とあるマクロビオティックの先生とお話しする機会があり、その先生の叔父《おじ》さんがかなりのヘビースモーカーで、家族が心配してやっとのことで病院に検査に連れて行ったって話をしてくれました。そしたらなんと、肺が **ぷるっぷるのつやっつや** だったそう。「んじゃ、人の健康を害するものってなんなんですか⁇」ってその先生に質問したら**「罪悪感」**って言われました。

初めて聞く情報だったけど、全身鳥肌がたちましたよ。〝わたしの体はちゃんとそれ知ってた！〟って感じで、もう体の細胞が揺さぶられるようでした。確かにわたしの経験でいうと、疾患の中でも一番罪悪感まみれで辛かったのが摂食障害（過食嘔吐《おうと》）でした。疲れるし、醜いし、汚れるし、情けないし、トイレに吐く食べ物にお金使っちゃうのに、発作的に衝動にかられて食べるのがやめられない自分を、責めまくっていました。

でもある時〝脳みその血管が破裂して死んじゃうかもしれないけど、発作がきたらもう戦わないで存分に食って吐いてみよう‼〟と決めたんです。罪悪感を抱えつつ、食べきって、吐ききったのね。そうしたら、みるみるうちに治まっていきました。発作が毎日だったのが、1週間に1回、1か月に1回、3か月に1回、半年に1回……と少しずつ減っていって、時間かかったけど摂食障害が治った！

その時にわかったのは、**罪悪感で自分を責めてしまうのは、〝逃げ〟だとい**

**うことでした。**何から？　っていうと**自分と向き合うこと、ありのままの自分でいること、自分を愛すること、ワガママになること、やりたいようにやること、自分を優先すること**からの逃げです。食べきったり吐ききったりする自分から逃げず否定せずに、やりきればよかったんですね。

そうやって罪悪感を持たずに、抑圧したりガマンしていた感情を開示し、解放したら、子宮筋腫や子宮けいがんや精神疾患もよくなって、心身共に癒されてゆきました。

わたしはあらゆる病気のメカニズムって同じだって気がするのね。**せっかく湧き上がってきた感情を、「こんなこと思ってちゃダメなんだ」って罪悪感でまた体内に押し込めてしまうから、体が「もうガマンできませ～ん！　気づいてくださ～い！」とサインを出すんです。**それが疾患だと思うんですよ。

人って〝もやもや〟した感情が出てきても、自分に向き合うことがなかなかできないから、それに〝罪悪感〟って理由をつけて逃げようとするんですよ。そして、その罪悪感から、実際には何を反省すべきなのかはわからないのに反省するんです。そうすると、自分のこと責めて疾患になったり、わけもわからなく他人からも責められるんです。

わたしはよく**「他人を傷つけてても、他人のせいにしてもいいから、暴言吐いて!!」**ってセミナーで言うんです。それは、わたしが自分を無視し続けて病気になったから言えることなんです。経験者だから、「そもそも〝誰かのせい〟ってないんだよ。人のせいでも自分のせいでもないの」とか「〝キレイな言葉を使いましょう〟とか〝他人を思いやりましょう〟とか、きれいごと言ってる場合じゃないよ。とっとと吐き出して、元気になってからまた人に優しくしたらいいじゃん」って思うわけです。

それって、**「罪悪感を感じなきゃいいんだね」**とか**「罪悪感は感じなくていいんだね」**っていうことじゃないんです。罪悪感が湧いてきた時に、感じないように無理にフタしちゃダメなんですね。**罪悪感が出てきたら、それが〝自分から逃げてるよ〟〝自分のために生きな〟**ってサインだって気づくことが肝心なんです。

現代は大半の人が罪悪感で自分を責めてると思うのです。とくに〝この世の中は性に対する女の思い込みの罪悪感でつくられてるんじゃないのかな？〟って思うくらい、女性は罪悪感いっぱいに生きてる。それで笑顔までをも自分で奪ってるわけです。

これが今世の中がうまく回らないしくみの元凶だと思うんですよ。お母さんや、妻や、彼女がパカーンっと元気だったら、男は男の力を勝手に発揮できるんだよ。**女の罪悪感が消えたら世界がＨＡＰＰＹになる！**

だからわたしは、女ならではの「罪」って言われるような生き方をしてみてるんです。社会の底辺の仕事に親不孝、何もしない悪妻に不良妊婦、毒ママ……でもね、やってみたら、こっちのほうに幸せになるヒケツはいっぱいあった。だから〝罪〟って思い込みじゃね？　って思えるんですよ。

## それ、何の罪？　by子宮

# 4

# 〝規格外〟のわたしが毎日を楽しめるワケ

たまに聞かれるんです。**「周りに男性がたくさんいたのに、どうして岡田さん一人を選んだのですか？」**と。

これね、岡田を〝選んだ〟っていうより、自然とそうなっちゃったんです。人間の力ではどうにもできない〝不可抗力〟が働いたようにも感じるのね。

岡田はもともとわたしのファンでした。その頃わたしは夜のお仕事してたから、お客さんとして岡田が店に来てくれたんです。わたしの近況をFacebookやらブログやらで知っていて「そんなにすみからすみまで見て、好いてくれる人なんていいるんだぁ」って思ったよ。

で、岡田と初めて出会った時、岡田に言われた言葉が、

**「はるちゃんって、規格外だよね？」**

でした。そんなこと言われたことはなかったから、〃まぁ、なんてわたしにピッタリの言葉なんでしょ〜〃と一瞬体が固まったのね。

そのとき岡田は、わたしがすでに妊娠してて、お腹の子のお父さんがわからないのも、恋人が何人かいたのも知ってました。だけどまるで〃時〃が味方をするように、ふつーにデートして、スルスルとわたしの家に来て、二人で引き込もって、出産する前に結婚することになったんですね。

そんな〃不可抗力的な流れ〃は、引っ越しした時も感じました。

こんなわたしを好いていられるんだから、岡田だってよっぽど規格外なんだと思います。じゅんせーもわたしを選んで生まれてきたみたいだから、規格外。ていうか、人間ってみんなそうなのかもしれないです。

人って安定した生活を望むものだけど、心も体も不安定なものなんですよ。だから規格に合わせようとするより、〃自分は規格外だ〃と思えれば、人それぞれ、その人の流れにまかせて、人生を楽しめるんじゃないかなって思います。

**不安定な自分の中身を感じられてこそ、生きてる安定感を持てる**んだと思うんですね。
もっというとね、どこかの国に行かなくても、安定した生活の中でも、心の旅はいつでもできます。心の旅っていうのは、躍動感があるってことです。日常生活で、自分の変化とか流れを感じたら、ワクワクするんですよ。例えば、いつも言わないようなことをあえて言ってみるだけで、猛烈にドキドキしませんか？

わたしね、いつもそんなんだから、毎日グータラしてるはずなのに、なぜか新鮮なんです。心がおどってるんです。もちろん、楽しいことは楽しいんだけど、それだけじゃなくて、悲しいことさえも楽しい。それを経験できることに喜びを感じるんですよ。**自分事が、より他人事のエンターテイメントみたいに楽しめてる、って感覚です。**

とくに最近、感情の全部を子宮で感じられるようになり、感度センサーが、ぐぐっと下腹部に落ちた感じがします。だからお腹いっぱいになるくらい、生きてる喜びを感じられるようになりました。

この先もどんな心の旅ができるのだろうと、毎日ワクワク、遠足前の子ども的な気分で生きてます。

**子宮で感情を感じられると、毎日が楽しいイベントになるよ！　by子宮**

# 5

# 結婚生活で男に尽くしてはいけない理由をいくらでも挙げられるわ

まあ、妻が夫に尽くすか尽くさないかは法律で決められているわけでもないので、個人の自由ですけどね。いろんな人に、

女は、

**1　尽くさないで**

**2　自己中心的で**

**3　ワガママになって**

**4　自分の機嫌さえとっていればいい！**

などと言われていますが、わたしの実体験からもそう思います。

これを意識しているとどうなるかというと、まず自分の中に幸福感が満ちてきます。するとその幸福感は自分の中からあふれて、周囲も巻き込んでいきま

す。幸福〝感〟という目には見えない感覚だけではなく、現実に目に見える形で自他共にお金が潤ったり、豊かになって、いろんなことがうまく回るようになります。

では妻が夫に尽くすとどういう現象が起きるかといいますと……**夫も会社に尽くすような仕事の仕方をするようになる**んですね！

もちろん会社に貢献するわけですから**出世**はするかもしれません。でも、家に帰ってくるのが遅いとか、あまりに働きすぎて倒れるとか……何かを犠牲にせざるを得なくなります。**これで誰が幸せになるんでしょう？**

たまに女の人に「わたしは尽くすことが好きなんです」と言われることがあるんですけど、そういう人の中に、幸せそうな顔を見たことがありません。ずいぶんお辛そうですね……って思います。

そういう人は、心の底で尽くさないと幸せになれないとか、何かをしていないと自分には価値がないんだ、自分は認められないんだと思ってるんですね。**でも尽くしても尽くしても、幸せからますます遠ざかるだけなんですよ。**

わたしはそれに気づくまで、心身共にズタボロになりました。〝あげまん〟になりたくてやってた行動は、〝勘違いあげまん〟です。通称〝さげまん〟ともいいますね（笑）。このさげまんをさんざん経験してやっと、「あげまんっていうのは、自分も相手も幸せにする人だったんだ。自分がまず幸せになっていいんだ」って気がついたんです。

## みんな幸せになるために生きている！ by 子宮

**夫は妻の鏡です。**

結婚している方で、夫が会社にせっせと尽くしてる姿を「情けないなあ」と思う人は、自分が情けないことをしてないか、自分に問いかけてみたほうがいいですよ。

だけど逆に、「夫や家庭のことって、そんなに自分次第でどうにかなるんだ？」って思ったら、「なんとかできるかも！」って思いませんか？

それとね、**夫に尽くすと夫を子どもにしてしまい、妻は夫のお母さんになってしまいます。**つまり、いつまでも自立できない男をつくってしまうんです。実は子どもになっていいのは、夫ではなく、妻のほうなんです。子どもになっていいというか、〝100%自分中心の子どもみたいになる必要がある〟んです。

だって女性はもともと人に尽くすだけのパワーはないんですよ。その代わり、**自分に尽くして子宮力を発揮すると、周りを包み込める**んです。**妻が楽に、楽しく、心地よくいられるようになったら、夫も勝手に同じように生きることができるんです。**子どもみたいな男にするのではなく、子ども心を持った、魅力ある大人の男になるんですよ。**私の自論ですが、女は自分で女になることはできるけど、男は女がいないと男になれないんです。**

自分に尽くすことは、気づいたらいつからでも始められます。でも自由な結婚生活をしたいのであれば、結婚前の恋愛で練習するといいですよ。何度も何度もトライが必要だし、結婚してから尽くす自分の姿が夫や子どもに投影され、感情が揺さぶられる生活をするのはしんどいですから。

わたしだっていまだに完璧にできなくて、トライし続けてる最中です。でも、わたしが不満だったり消化不良を起こすと、家族のみんながそうなるから責任重大なんです。

**あなたが悲しむと世界が悲しむ。あなたが喜ぶと世界が喜ぶ。**

**だけど、悲しませることは悪じゃない。それだけ、自分が周りの中心にいるということです。その存在感が、生きてる証《あかし》なんですよ。**

# 6
# 妊娠したくありません。避妊具・リングを入れてきた☆

産後の楽しみのひとつに、妊娠を気にしないセックスがありました。でも、産後2か月で生理が始まってしまって、「妊娠しちゃうかも」と思ったら、ハラハラして、気が気じゃなくて。それからは全然セックスに集中できない状況が続いていました。

産後にセックスの回数が激減してしまいましたが、それは〝妊娠したくないから〟。じゅんせーを妊娠するまではギッチリ避妊して、妊娠中は解き放たれたかのようにバッチリセックスしてたから、産後の夫婦生活での避妊がわからなかったんですよね。

でも生のあの発電感覚が忘れられず、コンドームはNG。ピルも飲み忘れ常習犯。ってことで、全然メジャーではない〝リング〟を病院に行って入れてきました。

いつまでも言い訳して、わかっているのに動かないでいると子宮が曇るんだよね。そう思ったから病院行ってきました。妊娠しない方法はいくらでもあるので、あとはどう対処するか・行動するかです。

## 妊娠したくないなら、その気持ちに正直に行動しな！ by子宮

リング装着は、生理終了直後でないと難しいらしく、生理手前に病院に行ったり、生理周期が乱れてタイミングを逃し、3回目でやっとOKでした。ちなみに3万円ほどかかりました。装着時は痛みがあります。

不思議なんだけどね、ここまでしても妊娠することがあるそうな。じゅんせーの時も同じような感じで「ここまでしても赤ちゃんが来るんですか？」って感じだったのね。〝ここまでしても〟ってのは〝こんなにイイ母親になるための準備は一切しないって決めてるわたしなのに？ それでも赤ちゃんはわたし

を選ぶんだ？〟ってことね。

**イイ母親を装いたくないから言います。「わたしは妊娠したくありません」**

だけど、こんなわたしでもまた来たいって赤ちゃんがいたら、それはそれで大・大・大歓迎です！

## 7 子どもがいなくても二人で楽しかったと思うけど、子どもがいたから一緒になりました

この頃わたしはじゅんせーの離乳食やオムツの在庫はまったくノーチェックだし、自分たちの夕食さえ全然つくっていません。でも岡田がいつもなんとかしています。ある日わたしが家の2階で仕事してたら、その間岡田がじゅんせーを連れて公園に行き、赤ちゃん用品の買いものを済ませてくれました。わたしには納豆巻きも買ってきてくれて、小腹がすいていたわたしは大喜び。先日は、お風呂掃除で、何やら細かいところをきれいにできたようすの、達成感いっぱいの岡田を目撃しました。

今朝、シンクに食器がちょこっとたまっていたから、何気にちょろっとわたしが洗ったら、岡田にちょっとおどろかれて、「洗ってくれてありがとう」って感謝された。ああ、ついにキッチンからも追い出されるわたし。すんごく

# chapter 2

## はる流幸せな家族
## ～家族との関係も自分中心でいればＯＫ～

面白かった！　だって、以前のわたしだったらあり得ない！　これでいいんだ♪　だってわたし、幸せだもん！　で、わたしが幸せだと、岡田もじゅんせーも幸せなんですよ。

実は岡田は、わたしと結婚する前に「結婚したいし、子どもも欲しい」と宇宙にオーダーしてたらしいのです。それで出会ったのが、妊婦のわたし。結婚相手と、子ども（胎児）が一緒に来て、無事両方叶ったんですよ。正確には岡田の場合「〝自分の〟子どもが欲しい」だったので、言葉足らずだったんだよね（笑）。だから宇宙にオーダーやお願い事をするときは、細かく言いましょうっていうオチです。

でも、誰の子どもでも、来たら来たでわたし以上に親業をこなしてます。わたしがいなくてもじゅんせーを育てる自信がすでにあるらしい。

まだ新婚のうちからアッサリ・サッパリした老夫婦のテンションです。でも二人で育む愛がないほどに、自分自身を愛し、育て直してきたわたしたちだから、それで幸せなんです。

## 8

# セックスしたいから結婚しました☆

以前わたしが「妊娠したくないから避妊用リングを入れた」と言ったらすごい大反響をいただきました。それで疑問になったのですが、夫婦が妊娠を望まない時、みなさんセックスはどうされているんでしょうね？

わたしの結婚した理由は、**隣にいる人といつでもセックスできるから**なんです。岡田との結婚で「この人と一緒になりたい！」みたいなきらめく理由はなかった気がします。強いて言えばセックスの相性がピッタリだった感動はあったし、〝結婚しない理由がなかった〟ので結婚しました。

セックス以外にも**結婚っていろいろ便利です**。だからしたんです。でもそれを求めるのって、体の奥にある潜在的な要求だと思うのね。

以前の事実婚生活では、〝この人と一緒にいたらいい思いができる〟という

## chapter 2

はる流幸せな家族
〜家族との関係も自分中心でいればＯＫ〜

自分の本心の上に、〝本当はそんなこと思ってはいけない〟というフタを、がっしりのせてました。おかげで〝いい思い〟なんて全くできない、最悪の結婚生活を送りましたよ。

でもその過去があったから、**結婚するのは不純な動機からでよかったたし、計算高い自分のままでよかった**のだと勉強できたんです。「結婚って便利なことばっかりじゃないよ」って言う人がいますけど、自ら望んでそういう世界にいるんだと思うのね。

わたしは満足するセックスのない夫婦生活って結婚してる意味あるの？　って思ってます。セックスしたくて結婚したのに、妊娠が怖くて楽しめないなら、避妊するのって当然だと思うのね。

いくら成功してる人でも、セックスする相手がいなければ、その人のセミナーなんて「ひとりぼっちになる生き方の話」なんですよ。だからわたしは、わざわざ行ったりしないし聞かないし！　って思ってる。

**セックスしてるかしてないかは、その人の信用**くらいに思っているよ。

# 9 母性を言い訳にしたアドバイスは、聞きません

子ども産むといろいろと、いらないアドバイスをいただく機会が増えますね。あれってアドバイスという名の「自分は寂しいから、こっちを見て」っていうアピールなんだよね。**「なんであんたの話、聞かなきゃいけないの？　わたしを性欲処理の道具にするな」**って本心、思いますよ。もてあました生命力（性欲）を誰かにぶつけてるだけなのに、それをあたかも〝経験豊富〟を装って善意のカタチで押しつけるのは、母性を言い訳にしたテロ行為なんだよ。自分がおまたを無視しているので、子宮がお怒りになっているんですよ。だから自分で自分を慰めてね、っていつも返してます（つまりひとりえっちしなってこと！）。

ビックリするのが、セックスパートナーもいなくて寂しそうな人が、産前産後や子育てのアドバイスを平気でしてるってこと。そんな人の子育て論がまか

り通ってる日本って、どうなってんの？　うまくいってない自分を置き去りにして、誰にアドバイスしてんの⁉　おかしいでしょ。

ブログやFacebookのコメントでも、なんでそれをわたしに言う？　って疑問を感じるものが多いんです。〝避妊リングをつけました〟って報告したわたしに「リングつける時痛いでしょ？　だからわたしは外した」とか。わたしはもうつけたって言ってるんだけどね。しかも出産のほうが痛いのに、経産婦さんがそれを言う？　なんでそんなに痛みにＮＧなの？　生きてたら痛いことなんて日常茶飯事だけどそれって生きてる意味あるの？　って思ったよ。

わたしにそんなことを言うっていうのも「寂しいアピール」なんですよ。でもね、本当に寂しさを埋められるのは自分だからね！

## 寂しい人のアドバイスって意味ないから！　まずは自分を慰めてよ！　by子宮

10

# 妻の笑顔が男の力量そのまんま

産後は、母体の回復や妊娠の問題などで、ちょっとセックスレスになっていたわたしたち。結婚記念旅行で久しぶりにセックスしたら、すごかったよ！　何がすごかったかっていうと、子宮のデトックスね。自分でもビックリするくらい、出るわ出るわ、たまってた感情が！

日頃の生活の中で、モヤモヤッとすることがあるんだけど、それが些細《ささい》すぎて、ずっとよくわからなかったんですよ。ところが、セックスで膣が動いて物理的に活性化すると、脳みそも自動的に動いて言語化しやすくなるんですね。

それでセックスした次の日に普通に観光してたら、岡田がさりげなく放った一言でわたしの火がついてしまって……、

**「父親にならせてあげてるんだよ！　養わせてあげてるんだよ！　調子に乗ん**

**な！　シネ‼」**

って勝手にわたしの口から、まるで鋭利すぎる刃物のような感じで出てきた！　自分でもものすごくビックリしました。

でもその言葉に〝**そう、そう、そうなのよ‼**〟って妙に納得した自分もいました。岡田は育児や家のことを好きでやってるはずなのに、わたしが何もしないでワガママやってるのを見て、ときどき殺意が芽生える時があるらしいのね。それでわたしに「殺意が湧く」とか言うんですよ。その言い方とか、言葉が超汚くてすごく嫌だし、納得いかないのね。

「**わたしに向かってその言葉づかいはダメだろ⁈**　岡田は好き好んで育児してるくせに、わたしに殺意が芽生えるって、一体どうゆうこと⁉　だったらあんたのやってること、違うんじゃねーの⁉」って思ってた。

だけど今までそれを伝えようとしても、うまく表現できなかったし、岡田に言っても全然響かなかったんです。そうしたら、今回のセリフがきたよ……。すごいでしょ。どんだけわたしって自分勝手なんだよ？　って自分でも驚いたよ。

　で、岡田の返答は、「はい、わかりました……」だった（笑）。

　夫婦間やパートナーシップってよく〝尊敬し合う〟とか〝助け合う〟とかいうけれど、その前にちゃんと説明が必要だと思うし、自分のすべてを尊敬できなければ、相手への本物の尊敬は生まれないと思うのね。相手に何も伝えないで、無理やり尊敬しようとするのは、仮面夫婦みたいなものなんですよ。それはかえって夫婦間の悩みを助長するんじゃないかなって思うんです。

　逆に自分のすべてを尊敬できたら、結果として自然と〝尊敬し合う〟し〝助け合う〟夫婦になるんです。別に**意識的に尊敬する必要はないって思うんです。**

　私はもう今回みたいな暴言を岡田に吐いても、罪悪感は出てこないのね。その代わり、すぐに機嫌がよくなって、笑顔になれるんです。

　夫の岡田からしてみれば、それでいいんだよ。だって、**妻の笑顔が男の力量そのまんま**なんだから。

　岡田に対してわたしは、**〝絶対に自分の笑顔に嘘つかない〟**ってことだけは誓ってるのね。で、わたしみたいな〝モンスター〟を幸せにしている岡田ってすごいと思って感動してしまうんです。

結婚する前は、わたしにはたくさんの交際相手がいて、相手を一人に絞るつもりはなかったんですよ。でももともと〝男力〟がある岡田は、わたしの正直な気持ちを受け止めてくれる。だから一人で十分用は足りてしまって、結果的に一人に絞られたんですよね。だからこそ、そんな男に正直にならないほうが失礼だし、湧き上がってきた汚い言葉を、我慢して放たないほうが冒《ぼう》涜《とく》だと思うのですよ。

岡田が受け止めてくれるから、わたしはそのたびに**何度でも何度でも岡田に恋をするんです**。そして岡田はわたしにとって世界一の男になるんです。男を育てるってね、そういうことだと思うよ。

## 素直で正直な女は、男力を引き出す！　by子宮

# 11

## ありのまま・ワガママ・自分優先・自分本位・自分勝手は全部同じ

出産後、岡田とじゅんせーの三人の生活になってからは、いつも外食や買ってきたお弁当を食べてます。この前気が向いたので久々にご飯をつくりました。キッチンに立つわたしを、岡田が「御来光を見ているようだ」って、ありがたそうに見てたよ。

お皿洗いもわたしがしようかと思ったんだけど、即座に「岡田、皿洗ってー」と自然と言葉が出てきてくれました。それからアイスクリームが食べたくなったので、「買ってきて」と頼んだら、じゅんせーを抱っこしてコンビニまで行ってきてくれた。

**子宮に委ねると勝手に出てくる！**　ここで悩んじゃうとワサワサしますが、勝手に言葉が出てきてくれると楽です。

不思議なもので、わたしのワガママにキレがなくなって悶々《もんもん》とすると、岡田も悶々として、キレがなくなるのね。体にも締まりがなくなる感じ。

わたし、もっと残酷に冷徹に自分のことだけを考えていったら、その先に何があるのか知りたいんです。でもこれ、けっこう命懸けなんですよ。なんで命懸けかっていったら、私にとってワガママになることは恐怖なんです。それに、私があまりにワガママすぎて、岡田がストレスで死んじゃったらどうしよ～とか普通に思うんですよ。

とか言っておいて、岡田がじゅんせーの育児をうまくできてない時に**「お父さん増やすよ!!」**と脅したりもできてるわたしです。わたしなら本当にそうして「お父さん3人増えました～！」ってタイトルのブログ記事上げそう、なんて自分で想像したらウケた（笑）。

「〝ありのまま〟で生きることを〝ワガママ〟かどうか決めるのは他人。そしてありのままでいることへの抵抗感が抜けると、ワガママだと批判する人は消える」って岡田がブログで言ってて、本当にそうだと思ったよ。

ありのままとワガママは〝自分でどう思ってるか〟と、〝他人からどう思われてるか〟の違いはあるけれど、同じだし、自分優先も自分本位も自分勝手も同じ。

だけど岡田の言う通りで、ワガママでさえ突き抜けると、愛されたり、好かれたり、神様みたいに敬われたりするから不思議なんですよ。

**ワガママをガマンするより、極めたほうが愛されるよ！　by子宮**

# 12

# 気持ちよくなるのも幸せになるのも怖いだらけだったシングルマザーの決意

妊娠当初、シングルマザーでした。でも妊娠がわかった時は、ただただ嬉しかった。父親はわからないけど、本当にどの男性の子どもでもいいって思えるくらいにみんなが愛おしかったのね。しかも一体どこで妊娠したのかわからないようなわたしなのに、想定外すぎるほどに多くの人たちから祝福を受け、びーーーーっくりしたけど、とても幸せでした。

自分の世界観が現実となって現れているとしたら、こんなに愛おしい世界に生きてるわたしの世界観はなんて美しいんだろうって、とても満足でした。

本当は妊娠するまで、頭は〝ワサワサ〟動揺してたんですよ。子宮は〝妊娠したい！〟衝動なのに、頭は〝お金ないし、結婚してないし、どーするのよ‼〟ってね。でも子宮の衝動におまかせしました。そして、赤ちゃんができた時、〝シングルマザーになる〟ことに対してとってもわくわくしました。だって、**「自分で稼いだお金で子どもが育てられる!!」んですよ?**

当時、この嬉しさを身近な人にたくさん伝えてたら、「普通は困ったたって思う状況なのに、はるちゃんはどうして嬉しいの?」と聞かれました。それは、わたしが中絶経験があったからじゃないかなと思います。

あの時は若くて一人で子どもを育てることができなかった。だから私は自分に誓ったんです。〝自分一人でも産み育てられる環境を手に入れる〟そして、〝今度同じ状況になったときは絶対産むんだ〟って。その願いが叶ったんです。

それと、わたしには**自営ベースで、いつも子どもと一緒にいられて、何よりも自分が楽しい仕事をしている、**っていうビジョンがずっとありました。そのビジョンが妊娠したのを機にどんどん現実になっていったんです!

## 子宮の衝動にまかせると、夢が叶うよ! by子宮

妊娠後すぐ岡田と出会い、岡田のほうから遠回しに結婚のお誘いがあったときは、すぐに「しよう」ってお返事ができなかったわたしがいました。ある人にそのことを相談したら、「岡田さんははるちゃんが〝うんっ♪〟って言ってくれるまで待っててくれる人だと思うよ」と言ってくれて、**なんかホッとして、**「大丈夫」っていう結論になりました。

その〝**なんかホッとして**〟というのはね、「岡田は自分のペースに人を巻き込まない人なんだ」って思ったからなんです。わたしにとって人のペースに巻き込まれることが、人生で一番嫌だったんですね。

これ、巻き込む人が悪いんじゃなくって、**巻き込まれる弱い自分が嫌だったんです**。過去のわたしは、振り回されてばかりだった。母に、事実婚していた前夫に、その子どもに、その姑に、会社に、上司に、仕事に、世間に……。そんな自分に吐き気なみの嫌悪感を抱いてたのね。だけどそれって、自分の軸がないから、自分で勝手に振り回されてただけだったんです。

## 自分の声が聞けないと、人に巻き込まれるよ　by子宮

だから数年の時間をかけて一生懸命、自分自身をとり戻しました。ようやく自分自身とコミュニケーションできるようになって、人に巻き込まれなくなったところで、赤ちゃんが来てくれて……すぐにパパが来てくれた。ちょっと展開が早かったから、その時はさすがに躊躇《ちゅうちょ》しました。でもそんな時に〝岡田さんは待っててくれる人〟という言葉を聞いて、〝岡田なら大丈夫〟って安心して、「結婚しよっか」って流れになりました。

実はそれを言ってくれたのは、当時のわたしがつき合っていた男性の一人だったんです。しかもその頃、他にも彼氏がいたんだけど、周囲の男性方はみんなわたしの幸せを願って、背中を押してくれたんですね。オトコのすごさ、全身全霊で感じたよ。急に幸せになると、怖いんです。慣れてないから〝ワサワサ〟するんですね。セックスで気持ちよくなることが怖かったけど、それと同じだと思うのね。でもちょっとずつ、ちょっとずつ、慣れていけばいいんだと思ったよ。

# 13 子どもは勝手に母を選び、勝手に育っていく

わたしは妊娠中や授乳中も自分の気持ちを優先した生活をしてます。お腹にいるじゅんせーと〝胎話〟したときも「ママは何を食べても大丈夫だよ」って言ってたのね。だから妊娠中は、妊婦が食べちゃいけないもの、妊婦がしちゃいけないことを、興味本位で試してました。タバコやお酒、食べ物の添加物とか放射線も気をつかわず、パソコンで電磁波浴びたり、お腹を隠して〝妊婦禁止〟のことをいろいろしてみたり。

目指すはゴキブリの生命力♪　っていうのが、わたしの子育ての願望なんです。これからの時代、どんだけ汚染された地球になるかわからないでしょ？その汚染環境に適応しようとせず、自然派に〝傾倒〟するのは人間の退化じゃないかとも思ったんです。こんな世の中だから、何食べても、何浴びても、生

き延びられる人間を産み育てたい。ワクチンもいろんな副作用なんかの情報があるけれど、打たせないんじゃなくて、全部打たせてもなんでもないような子どもを育てたい……って思ったのね。

そうやって不良妊婦の果てに生まれたじゅんせーは、生まれて1年たつけど、大きな病気もしないし元気です。

でもね、いつもだけど、みんなにわたしの真似してねとは絶対に言いませんからね。

で、最終的に言いたいセリフは、世の中のお母さんたちに「自分のこと責めないで」ってこと。

**だって子どもは勝手に母を選び、勝手に育ってるから。**

これは母の子どもとしてのわたしの気持ちです。

妊娠中や乳幼児の子育てで、不安や恐れをいっぱい抱えてる人もいると思うんですね。健康的な生活をしたりするのも、その恐れや不安にフタをしたいからなのに、それを〝子どものために〟やってるんだと思い込むんです。でもどんなにフタをしても、最終的に自分の中にある恐れや不安に気づくまで、その気持ちに気づかせるようなことが起こるんですよ。で、結果的に思った通りの妊娠生活・出産・育児ができなくなったりするんです。そして何かうまくいかないことがあると、お母さんは最終的に自分を責めてしまうんですね。

だけど子どもって、母親に自分を責めてほしくて生まれてくるんじゃないんですよ。より幸せになるためのサインを、母のそばで常に発信するために生まれてくるんです。これ、子どもたちが胎話や胎内記憶でそう言うって聞くけど、じゅんせーもそうだったのね。（「胎話」や「胎内記憶」は池川明先生の本に詳しく書いてあります）

確かにわたしが青森の地元で暮らした18年間、母に抑圧〝された〟と言えばそう言えるんです。でもそれが助走の力となり、おかげで自分の人生を羽ばたかせることができました。子どもってみんなその力があると思うのね。だから、親が責められるべきことなんて何もないと思うんですよ。

お母さんたちの中には、妊娠中や授乳中にお酒やタバコをガマンできなくて、子どもがちょっと大きくなって子育てに悩んだ時に「わたしがタバコ吸ってたからだ……」「お酒飲んでたからだ……」って自分を責めちゃう人もいます。でも子どもが言うことを聞かないのは、タバコのせいでもお酒のせいでもないんだよ。だって、**健康にめちゃくちゃ気をつけてた人でも、自分を責める気持ちがあれば、何かしら自分の中から責める部分を超・血眼《ちまなこ》で探し出すんです。**

でもね、子どもって、親に「そうやって責めてたら幸せにならないよ」って教えてくれるために問題起こしてくれるんですよ。とくにお母さんは、必要以上に子どものことに責任感を抱く傾向にあると思うんですけど、泣いてる時間が自然と少なくなってくれたらいいなって思うよ。

## 子どもはお母さんを責めるために生まれるんじゃないよ　by子宮

# 14 産後クライシスはたまった感情のデトックス〜子宮にたまった感情は出産と同時に出ちゃう(´ε｀*)〜

今は「イクメン」といわれる岡田ですが、しばらくはわたしがしているように赤ちゃんのお世話はできませんでした。でもそれが笑えるのね。おむつを換えに行ったのに、戻ってきたらじゅんせーの服にうんちとおしっこがついて濡れてたり……。「どうしたらそうなったの?」ってことばっかり（笑）。

数年前のわたしだったら「やっぱ自分でやればよかった」と確実にイライラしてたと思うけど、そのことをめちゃくちゃ面白がってたわたしがいました。

産後のわたしが岡田に望んだのは、主に「赤ちゃんのお世話をするママのサポート」です。とくに、

1　〝わたし〟の体のケア
2　一緒にいること

3　同情

の3つですね。大半はわたしへのマッサージ要求でした。

妊娠中、岡田にわたしが言ったセリフは**「仕事で疲れて、わたしの体のケアができないんだったら、あんたが生きてる意味ないから！」**……ひどい嫁ですねー！

里帰り出産直後、不安になって**「赤ちゃんが息してるか不安で寝れない」**ってメッセージを送ったら**「感じきればいいよ」**とかって岡田のブログでお決まりのフレーズでお返事が来たのね。同情されなかったわたしはムカついて**「役立たず。今度それ言ったら離婚するから」**ってメッセージを送りました。そしたらスッキリして元気が出ました！　……こわい嫁ですねー！

でもね、どちらも岡田の対応は「はい！」とか「ごめんなさい」とか、気持ちがいいものでした。ため込んで腐敗した感情を子宮から出して、新鮮な感情をポンポンと表現しながら生活できるようになると、自分の意見ってビックリするほど受け入れてもらえるんだってわかったよ。

これ、「旦那さんがかわいそう」って思う人も多いかもね。でもそうじゃないのね。わたしが感情を表現すれば、産後ダメージを受けたわたしの子宮と膣が回復して、お金、人脈、情報、循環、環境、健康……すべてを呼び込んです。これこそが、旦那さんへの一番の貢献なんだよ！

感情ってその場しのぎでなんとか抑えつけていても、いつかそれを引き出させるような出来事がまた形を変えて勃発《ぼっぱつ》するんです。とくに**出産は、感情を一番ため込む子宮や膣が動くから、**今までため込んできた感情がまるまる、そのまま出てくるんですよ。

〝産後クライシス〟で「夫が嫌いになった」というのは、今までの人生で押さえ込んできた感情が、一番近くにいる最愛の人までをも憎む塊になってしまったってことです。もうそろそろ自分に優しくしようねって合図なんですよ。それを溶かしてあげられるのは自分自身！　〝自分に優しく〟って、人生のいつからでも始められるけど、産後が一番のチャンスでもあるのね！

妊活中やお産の前後にいろいろ生活習慣に気をつかうのはいいんだけど、基礎となるのは、悲しい時は「悲しい」と言い、寂しい時は「寂しい」と言い、辛い時は「辛い」と言う**〝自分に嘘をつかない生き方〟**です。

女も強さを強いられ、感情にフタをするのが当たり前の世の中だから、なおさら必要だと思ってます。理屈は簡単でも、実践するのはすっごい難しいんですけどね。

でもなるべく自分の感情を押し込まず、体の外へ出してあげる生活習慣があれば、妊娠中も産後もより穏やかな時間になって、「産後クライシス」も避けられると思うのね。

## 産後クライシスはたまった感情のデトックス！ by子宮

不良妊婦だったわたしだけど、〝自分に嘘をつかない〟ってことだけは徹底してきました。わたしは巷《ちまた》で〝毒ママ〟って言われてるみたいだけど、そう言ってる人は、毒がたまってしまった体が悲鳴をあげてるのかもしれませんよ。

**本当の毒は、体にたまった感情です。**

優しく自分自身を覗《のぞ》いてみてあげてね。

男の人には、してもらいたいことをちゃんと口で伝えると、たいていは理解してくれますよ。どうしてほしいかわからない人は、まず自分の体の声・欲求を自分自身で徹底的に聞いてあげることからスタートしてみてくださいね。

# 15

# 自分を生きることで楽しくなる育児（*´､｀）

じゅんせーが生後5か月で大阪に講演に行く時、新幹線の中でつかまり立ちできるようになったのに気がつきました。腕さえ支えてあげると、座ったり立ったり。

といっても、それに最初に気づいたのは岡田ね。じゅんせーの小さな成長に気づくのはいつも岡田で、そのたびにわたしは「さすがわたしの夫！」って感心します。

じゅんせーはたっちは早かったけど、寝返りやハイハイは平均よりちょっと遅めでした。体も平均よりちょっと小さめです。

ゆっくりめなところもあるけど、でもちゃんと成長してるんだよね。そのじゅんせーなりの成長を見届けようと思っています。

できるようになる順番が違ったり、みんなができるはずのことができないと、不安になる親も多いかもしれない。でもわたしは、何かができないぶん、他のことができるのかもしれないって思うから、楽しみなんですね。

**わたしが自分自身を生きてるから、じゅんせーが自分自身を生きるのを安心して見守ってられるし、どう転がっても楽しみでいられるんです。**

## 自分らしく生きれば、子育ての問題はなくなるよ　by子宮

# 16

# 明日どうなるかわからない自分に、脱帽級の尊厳を抱きました

ある日、家で仕事があったので、岡田がじゅんせーを連れてキッズカフェに行ったりしてくれました。おかげでわたしは大変満足な仕事ができたよ！　で、終わったら岡田とじゅんせーも帰ってきて、三人で夕食のお弁当を買いに行きました。商店街を通り、100均や薬局に立ち寄ったら……急に幸福感に襲われ**「結婚って幸せだぁ〜」**って、感動で涙が出そうになりました。

以前のわたしは、結婚するなら〝温かい家庭〟にしたいけど、そうするためにはおかあさんが温かいご飯つくったり、優しくいなきゃいけないんだとずっと思ってたんです。

でも実際に結婚したら、全然ご飯をつくってなくて、お弁当ばかり。ある時は久しぶりのカップラーメンにお湯を入れてあげただけで、岡田が「はるちゃ

んがご飯つくってくれたー」と喜んでくれました。

**なんにもできなくたって、私の心は温かい。家族にとって必要なものって、それだけだったんです。**

3年前、子宮委員長はるを始める以前は、将来何が起こるかわからない〝不安〟から〝安定〟を常に目指してたけど、〝安定〟することはなかったんです。

でも、今はどうなるかわからないのが〝不安〟ではなく、次に何が起こるんだろうという〝期待〟になりました。そしてわかったのが、〝安定〟より〝不安定〟こそが自分の命を躍動的に輝かせてくれるということです。

**自分の命が輝きを放っていることを感じられたら、明日どうなるかわからない自分に、脱帽級の尊厳を抱きました。**

その人生を共にする仲間が家族です。

だから結婚してよかったです。子どもを産んでよかったです。

# 17
# 私がすごいからあなたもすごい(^^)b

子宮委員長はるは何も努力してないの？　っていわれるけど、わたしはね、**努力しないことを努力してます**。**できないことをあきらめる努力をしてます**。

ここまでくるまで大変だったし、時間もかかりました。けど、気づいたら自分が喜ぶ環境の中にいました。

まだ〝普通にできない〟自分を、罰してしまいそうになる時があります。でも、〝できないことが気にならない〟自分もいるから、その気持ちのほうに素直に、〝好きなことしかしない〟を徹底してます。

今のわたし、できることさえしないんですよ。だってそんな以前だったらあり得ない生き方ができてる自分に、超ウケるから。

わたしは、**好きなことだけする**生き方を貫いたら、人生何が起こるのか知りたい。だからやってみてるんです。

とりあえず、今はブログが私のオモチャで、何時間でもやってられます。ブログが好きなようでいて、わたしはわたしを見せるのが好きなのかもしれないけどね！

そこに集中してる時、岡田はわたしを放置しておいてくれます。わたしのご飯を気づかいながら、じゅんせーのご飯とお風呂も済ませてくれる。わたしがパソコンで夜更かしした次の日は、昼まで寝てるので、朝じゅんせーが起きたら、岡田が一緒に寝室を出てってくれます。

わたし、お姫様、女王、天才‼

**けど、これは自分が自分にしたことが外の世界にも反映されているだけ、なのね！**

## 自分をお姫様扱いすれば、周りからもそう扱われるよ！　by子宮

つまり子宮＝魂の欲求で、脳の思考＝実現力なのね。

例えば、子宮から湧き上がった感情にハッと気づいて〝本音を伝える〟と判断して、口から言葉を出すのが、脳による思考の実現力です。わたしはその〝子宮の感情で動く〟作業をコツコツ地道にやってるだけです。〝食べたい物を食べる〟とか〝寝たい時に存分に寝る〟とか〝やりたくないことをやらない〟とか。

そうすると、昔のイイ子ちゃんグセが出てきて、「ちょっとガマンしたほうがいいんじゃない？」なんて思ったりするんです。だからいちいち自分の欲求に従うのって結構しんどいんですよ。でもね、素直に従うと、岡田が全部やってくれる。で、わたしは「岡田スゲェ〜」って感心します。

子宮の欲求と脳の実現力の関係って、実は夫婦関係と同じなんですね。妻が魂の欲求に従えば、夫がそれを現実化するんですよ。

子宮がわたしにこう言うんですね、「わたしがすごいから、あなたもすごい！」って。それがそのまま、「わたしがすごいから、岡田もすごい！」になるんです。

# 18

# 「母の呪い」が魔法に変わる時☆

数年前から、**「母の呪い」「母の呪縛」**なんて言葉をよく聞くようになりました。最初に言葉だけ聞いた時は、詳しい意味はわからなかったけど、体中の細胞に電気が走ったような感覚があったのね。「あー、今のわたしの世界を支配してるのって母親なのかもしれない」って。

その頃は、親の期待通りに生きられない自分に、わたし自身がちゃんと対峙《たいじ》できていない時でした。でもしばらくして、本当の自分から逃げずに向き合おうと思ったから、お母さんに伝えました。「もうみんなから認められるような娘にはなれない、ごめんなさい。世間の道からは外れるかもしれないけれど、わたしはわたしの道を行くから」って。

それから3年以上たった今に至るまで、いかに母の呪いにかかっているか思い知らされます。けれども同時に感じるのは、**その呪いを解くのは私自身**だということです。

わたしは母の呪いがなければ、今のように楽しい人生をつくることができなかったはずなんです。だから、今や母の呪いこそが、人生を楽しく生きるための魔法であるように感じています。

昔は感情の起伏の激しい母の機嫌に振り回されて悩んでたけど、今はわたしも喜怒哀楽を表現できるのが楽しくなりました。だったら反面教師にするよりも、とっとと素直に真似ればよかったと思っています。もっとも、それも一度反面教師にしたからこそ、気づけたことなんですけどね。

母親でなくとも、自分の嫌いな人って、ほんとはそうなりたい憧れなんですね。わたしが以前まで嫌ってた人の多くは **〝自分勝手な人〟** と **〝人に迷惑をかける人〟** でした。だってわたしがいっぱいガマンして、イイ子ちゃんで生きてたから、そうしない人間はみんな腹立つんですよ。

でもね、〝自分勝手〟って自分を大切にする才能、〝人に迷惑をかける〟のは人を巻き込んで幸せにする才能でもあるんです。それが目につくってことは、わたしにもその才能があってのことなんですよ。

わたしは自分の子宮を癒やしていったら、「母もわたしと同じだったんだ」って気づけるようになり、母の気持ちが理解できるようになりました。感情の起伏が激しいのに、いっぱいガマンして、イイ子ちゃんで生きてきて、母も辛かったんだって。そしたら、「長年一番傍にいたのに気づかなくってごめんなさい」って思えました。

本当はわたしを束縛していたのは、まぎれもない自分自身だったんですよ。そうなったきっかけも、母だけじゃなくって、学校の先生だったり、会社の上司だったり、道徳だったり、常識だったり、世間体だったり、既成概念だったりしたのに、それを全部母のせいにしようとしてたんですね。

このことがわかってからは、わたしも母も、前よりうんと素直になれました。

今、わたし自身が母親になって思うのは、子どもに呪いはかけてもいいってことです。

**〝子どもには怒るんじゃなくて叱る〟**ってフレーズを見かけたことがあるんですけど、えっ、いちいち頭で考えてたらノイローゼになるじゃん？　怒りたかったらとっとと怒ればいいじゃん、って思ったよ。

**胎児は子宮の中で育ったのだから、育児も子宮でしたらいい**と思うのね。子宮から怒りが湧いてきたときは怒ればいいし、泣きたい時は泣いて、喜怒哀楽を出したらいい、ってわたしは思います。

呪いがかかっても、子どもには必ず乗り越えられるし、その先に最高の時間が待ってるんです。わたし自身がそれを知ってるから、自分の育児も、子どものことも信じられるんです。

むしろお母さんが「呪いをかけないように」と思って自分を抑えちゃうと、子ども自身も「自分を抑えなきゃ」とか「自分だけ幸せになれない」なんて思うようになります。そうやって子どもが幸せになれないような呪いが、ガッツリかかっちゃうんですよ。

今育児中のお母さん、もし「母の呪い」を知っていたら、子どもに呪いをかけまいとするよりも、まずお母さん自身が、そのまたお母さんの呪いに気づいたほうがいいですよ。お母さんも不完全だったし、自分も不完全。だけど不完全であることが、いかに素晴らしいか。それが理解できた時、母の呪いは解けて親子がハッピーになれるんです。

だから呪いをかけることを気にしないで、自分を大切にして、自分に正直に生きてね。これは母親としてというより、母親の元で育った子どもとしてのメッセージです。

## 母の呪いは子宮が解く！　by子宮

# 19

# 女は愛されるだけでいい

女性器って体の中で一番主張がでかい、総合的な器官なんですよ。「心を変えなきゃ」とか「考え方変えなきゃ」っていうけど、まず女性器を大事にすることで心も変わるんですね。だから**女は子宮とか膣を大事にするためのこと以外は、ぶっちゃけ何にもしなくていい**んです。

まずは〝できることしかしない〟って自分に約束するといいと思うのね。そして、できないことをちゃんと人に伝えるだけでいいんです。これ、パートナーシップだけでなく、他の人間関係でも同じなんですよ。

なんでもかんでもやってあげすぎると、男ってダメになっちゃうんです。男にとって、女のために何かすることが愛の表現なのね。その男の仕事を、女自身が奪うことになっちゃうんです。

過去のわたしは、できる女・賢い女を見せたくて、なんでもかんでもやってました。そうすると、いつしか「やってあげたのに……」って勝手に相手を責めるようになるんです。そりゃあお互い疲れるに決まってるよね。

今は「わたし、なんにもできませーん‼　おまたがあっちぃだけだから‼」宣言。プライド高い私が、バカ女をアピールできるようになれたのは財産でした。これって、追求したら一番大事なことだったんです。男性は大切にしてくれるし、子どもにだって居心地がいい。家族も円満になりました。

**女は愛されるだけでいい。愛されているだけいい。**そんな生き物です。

## 女ができることしかやらないと、みんなが幸せになる！　by子宮

# 20

# そのままの自分を信じてあげられなくてごめんね

プライドが高いわりに、周りに合わせてばかりいたわたしは、頑張りすぎて長きに渡り心身を壊しました。3年ほど前は、どこまで〝ダメ〟になれるのか体験してました。

3年前の話じゃなくて、今も続いてることもあるけど……引き込もり、風呂に入らない、歯磨きしない。部屋の掃除は、もう歩くところがなくなるまでしない。歩くところがなくなってもしない時もある。メイクは落とさずに寝て、次の日もそのまま。食事？ コンビニと外食ばかり。料理、したくなったらするだろう。

ヤバいな～と思いながらも、常々、「これが今の自分のベスト」だと思い込みました。

汚いものが嫌いな人たちには理解できない境地だと思うのですが、やがて自分のことを汚いとも不健康だとも思わなくなりました。ぶっちゃけ自己嫌悪や罪悪感もいっぱいだったけど、〝やる時はやる自分〟を知ってるから強気になれました。

それでも、徹底したのは**〝気分次第〟**を貫くってこと。これが〝揺るがない自分〟をつくっていきました。

そして**「これが私なのよ！」**を全力で表現。すると、なんにもしなくても男性たちに愛されるようになっていきました。実家の家族ともどんどん和解し、人間関係も楽ちんになっていきました。恋愛でも無理せず自分を出して、楽しくなりました。

結局その時のわたしは、他になんにもできなかったから、子宮の声を聞くことができたんですね。

そしてやがて妊娠したわけですが、じゅんせーがお腹にいた時も、わたしは何ができるかわからなかった。だから胎話でこんな話をしたんです。

はる「ママね、あなたが生まれてきても、なんにもできないかもしれないよ」

お腹のじゅんせー「大丈夫〜。心配しないで。わからないことは全部僕が教えます」

え〜？　何が大丈夫なの？　あんたはそんなになんでも知ってるの？　って思ったけど、それからの展開がすごかったわけです。

サポーターの引き寄せ力が半端じゃなくて、助けてくれる人がたくさん出てきた。必要な情報も人の口を通じて伝えてくれた。そして岡田というパパまで現れた。

もう何度も思いましたよ。「あんたの言うこと、信じてあげられなくてごめん」って。これね、じゅんせーだけじゃなく、自分の子宮にも言ってたんです。

**「そのまんまの自分を、信じてあげられなくてごめんなさい」**ってね。

そこにたどりつくまでのわたしは、自分を信じることができなかった。だから思ったことを言えなかったし、裸の姿が怖くて服やメイクで着飾った。自分がわからなくて、資格とったり、海外行きまくった。そんな過去の自分があったから、やっと気づけたんだけどね。結局、わたしはわたしのままでよかったんです。

なんにもできないわたしだったけど、それでもいいんだって、子宮と、子宮にいたじゅんせーが教えてくれた。だからこれからも子宮を意識して、そのままの自分を信じていこうと思ってます。

ときどき「はるちゃんはわたしと違うんだよ。だからできるんだよ」って言われたりすることもあるけど、わたしがしてるのは本当に子宮を意識するだけだから、同じことをすれば誰だって同じようになると思うのね。

だからわたしに嫉妬したり羨《うらや》むのはいくらでもしていいけど、その前に自分のおまたを一度でも鏡で見たり触って、感じてみてね♪

**そのまんまの自分を信じるだけ。**
**あとはなにもできなくていい　by子宮**

# 21
# 限界まで他人に依存すると本当の自分が見えてくる

子宮委員長のくせに、子宮の裏側の背骨が思いっきりずれてるわたしは、腰の歪《ゆが》みと痛みに長年悩まされてました。以前はその歪みを治そうと必死で、たくさんお金も使いました。

でもね、「歪んだ背中の自分が醜くて嫌だ」とか、「痛みから解放されたい」というのは、それ自体が〝自分を愛せない病〟であり、歪みや痛みの原因だったと気がついたんです。だから、むやみやたらに治そうとするのはやめました。

それからというもの、どうしてもケアが必要になった時にはセラピストさんにお願いするようにしてます。すると、体が素直に反応して、とても効果が出るようになりました。そしてそんな自分の体をどんどん好きになれたんです。しかも出会うセラピストさんが、みんな相性のいい人たちになっていきました。

産後は妊娠中20キロ弱増えた体重がどんどん減り、腹筋や背筋がなくなったみたいで、また腰痛に悩まされるようになりました。

セラピストさんにも自分で簡単に腹筋と背筋をつける方法を伝授してもらったのですが、辛くてできないし、わたしは人にやってもらいたかったのね。

そこで毎日岡田にマッサージしてもらい、セラピストさんにも依存しまくってたら、突然痛みや歪みを自分で調整できる動きが「あっ！」と閃《ひらめ》いたんです。で、気持ちいいからそれを続けてみたら、痛みはなくなるわ、気持ちよくいながら筋肉はつくわで、絶好調なの。これがいいのは、自分が発見したから毎日楽しく続けられるってことだね。誰かからの「これやって」じゃ長続きしないんだなあって思ったよ。

発見した〝腰痛解消の調整法〟は、ハーフブリッジみたいに仰向けになって膝を立てて、腰を結構な位置まで浮かすとともに、腰の痛いところに力を入れて10秒した後、腰をストンと落とすってやり方です。でも方法より何より、肝心なのは、**自分の体が、自分に合った調整法を教えてくれた**ってことなのね！

〝カルマ粒（子宮にたまる抑圧感情など）がはらわれると、本当の自分が見えてくる〟っていう子宮の活性の効能は、今までもいろいろあったけど、自分の体の調整までできるんだってわかりましたよ。

これをやるようにしたら、辛かったセラピストさん伝授の筋トレもできるようになりました。

その後もセラピストさんにお願いしたら、より一層深いところにあった歪みが浮上して、施術もしやすくなったみたい。自己流調整法も披露したら「理にかなってる」と言われました。

元整体師の岡田が歪みをチェックしたときも「奇跡……」と呟《つぶや》かれたし。

自分の体ってすごいね！

## 限界まで他人に依存すると、本当の自分が見えてくるよ　by子宮

これって、わたしが歪んだ背中を愛せるようになったからだと思うのね。何

# chapter 2

はる流幸せな家族
～家族との関係も自分中心でいればＯＫ～

人ものセラピストさんに今まで「はるちゃんの体は独特」って言われたんだけど、それがいつのまにか自分の中で当たり前に受け入れられるようになってたんです。それとともに、どんどん委ね上手になり、体が素直に反応して、セラピーの効果もばつぐんになったわけです。

子宮のことを意識するきっかけになったのも、背骨のずれが関係してると思うから、〝独特さ〟は長所にも短所にもなりうるってことなんですよね。その個性を認めちゃえば、どっちにしろ楽しく生きられるんだって思ったよ。

今までハンデがあった子宮界隈《かいわい》だけでもとても豊かになったから、背骨が正位置に戻ったらまた何が起こるんだろね、って岡田と楽しみにしています。

出産は母体も生まれ変わる時って聞いてたけど、この背骨の件もそんな感じだったのね。わたしは産後の生理再開も早かったけど、それだけじゃなく体の戻りが早くて、授乳中の体には思えないってセラピストさんにも言われました。それって女に戻ってるというより、子どもの頃の本当の自分に還ってる気がしたよ。この変化を楽しみ尽くしたら、閉経する時も楽しみに思えそうです。

## 22

# 旦那に〝イラっ〟としたことは全部覚えていて、爆発した時は全部残らず伝えてます

人生の節々で**「怒りが湧いてきても寝れば忘れる」**って人から聞いたんだけど、それがよくわからなくて、一体どうゆうこと？　って思ってました。だって**わたし、寝ても忘れないんだけど。**

もうさ、〝地獄の果てまで恨み続けます〟って感じの性格でしょ。岡田に〝イラっ〟としたことも、全部、逐一覚えているのね。〝イラっ〟としても爆発のタイミングを逃したり、爆発するほどでもないレベルだったら、次のタイミングまでためます。

で、だいたい今1か月半に1度くらいは爆発するんですよ。その時に、過去イラっとしたことを、いちいちひとつずつ取り上げてプンプン怒ります。まだ出会ってから2年もたっていないから、不慣れでビクビクもしてるんだけどね、

絶対伝えるようにしてる。

その時の岡田の反応がいちいち新鮮なんだよね。沈黙の後、**「すみませんでした。態度を改めます!!」**って言うんですよ。そうすると思わず吹き出して笑っちゃうのね。

ズルイですよね。〝理論で返さず、とりあえず真剣に謝る〟って超大人だなって思うんですよ。

でも〝とりあえず〟でよかったりするんです。わたしにとっては、岡田に納得してほしいわけじゃないのね。たまっていたものを全部正確に伝えられたかどうかが大事なんです。**〝全部言えた!!〟っていう達成感があれば、伝えた時点でもう終わり**なんですよ。

子宮にためないためには、大切な人の前で醜い自分をさらけ出すのってとっても大事です。旦那さんの悪口を外で言ったりしてませんか？　あるいは、そこから逃げて食べ物に走ったり、子どもにあたったりしてませんか？　それ、旦那さん本人に言ったらいいと思うんですよ。わたしは他人の悪口も岡田に言いますがね。**わたし、友達いないんで（笑）。**

以前はわたしも、誰かに人の悪口を言うのって大の苦手でした。そんな自分を許せなかったし、人のことを悪く思うわたしって、〝いい人〟じゃないなって思うから、もちろん好きな人にもそんな姿を見せるのが怖かったんですね。**でもね、自分の中に〝嫌い〟があるのは当たり前のことなんです。**今ではそれを許してます。で、少しずつではありますが人の悪口を言えるようになり、岡田にいたっては本人に悪口を言えるようになりました。

本当はどんなに自分以外の他人を嫌いだと思ったとしても、嫌いなのは他人ではなく、人を嫌いだと思っている自分自身なんですよね。その自分の感情を一番わからせてくれる存在がパートナーなんです。だからパートナーに対して口に出すことで、〝自分を嫌い〟って感情からひとつ解放されるんです。

わたしは岡田に岡田のことを愚痴るたびに、岡田を好きになります。岡田の対応も好きなんだけど、これはまぎれもなく子宮が持ち主のわたしにも「大好きだよ！」って言ってるんだなって思います。

わたしがわたしを全部許しているので、岡田もわたしのことをなんでも許してくれます。どんなに理不尽であろうが許されるんですね。これってすごいと思うんです。

だいたい、子宮から「言え‼」って湧き上がってくる内容がお下劣すぎて、持ち主のわたしが一番「それ、理不尽じゃね？」と思うんですよ。**ただ、それに従ってると、本当にご褒美をいっぱいくれるんです。**

子宮（肚）にたまったものを、口から言葉・言霊で出してお掃除すると、自分の子宮が浄化されて、〝超パワースポット〟になるんですね。そしてご奉納・お賽銭《さいせん》がたくさんたくさんいただけるようになるんです。だからひとつでも残ってたらいかんのです。

子宮を中心に、自分から広がっていく循環があって、自分の次は〝パートナー〟なんです。だからパートナーも子宮のお掃除の恩恵をたくさん受け取ることができるんですよ。

それと、〝子宮にためない〟を実践してきたおかげで、産後避妊リングを入れるまではセックスやひとりえっちが激減してたけど、膣も子宮も温かいままでした。セックスしても温かいみたいで、わたしも嬉しいし、岡田も嬉しい。

ちなみに産後は、赤ちゃんに母乳を飲ませるたびに膣も子宮もピクピク動くのを感じるので、活動を何かしら促してくれてるみたい。母乳が足りないな～と感じたら、ひとりえっちすると、下から押し出されるみたいに母乳が出ます。子宮や膣の活性化が、育児とも関係するんだって感じたよ。

## 他人を嫌い＝自分を嫌いな感情は、口にすることで消えていくよ　by子宮

# chapter 3

# はるの日常
## ～子宮の声を聞く生活って こんな感じだよ～

# 1 ダイエットができないのは意志が弱いからではない☆

わたしがブログに「痩せたきゃ本音を口から出そうね！」と書いたりしてたら、ダイエットのトレーナーの方が同意して、「暴言でもなんでも、本音を口から出せば痩せるよ！」と言ってくれましたよ。専門家の方がそう言ってくださると嬉しいですね。

いつも中途半端に太っているのが普通だったわたしは、肥満でも全体的にバランスよく太ってる人が羨ましいと思っていました。そして痩せたいのに食べてしまう罪悪感が、いつもつきまとっていました。

でも、講演やお話会で本音を話したり、パートナーにぶちまけるうちに、どんどん痩せていきました。今も毎日ぐーたらしてますが、痩せ続けています。

以前はあれだけダイエットに苦しんで、摂食障害にまでなったのに……。

## chapter 3

はるの日常
〜子宮の声を聞く生活ってこんな感じだよ〜

**わたしでも痩せられるんだ⁉︎**　という発見です。

結局、肥満は「心の不満」だったんですね。腹の想いをため込まないようにすると、体も痩せるんです。

それとね、妊娠中はめいいっぱいの欲を満たしてあげたことで、わたし史上最強に激太りしましたが、おかげでよくわかりましたよ、**「太っても愛されるんだ」**ってことに。女はね、体型がどうであろうが、〝膣があり、女である限り、愛される〟んです。

それまでは、〝太ったら愛されない〟と思っていたから、太るのが怖かった。だけど、太ってもわたしには膣があり、女でした。それを忘れないことが大事ですよ。

「ダイエットできないのは意志が弱いから」は全くの嘘でしたね。自分を甘やかせばいいのです。けど、世の中では「自分を甘やかしたらダイエットできない」って思われてるから、真逆をいくことになりますよね。それって誰でも怖いんです。だから、**甘やかす意志の強さは必要**だと思います。

## 自分を甘やかせば、痩せる！　by子宮

自分自身とのパートナーシップがうまくいけば、リアルな他人とのパートナーシップもうまくいき、お金や美や健康とのパートナーシップも勝手にうまくいくんだけどね、ダイエットに関してもおんなじだったんです。

## 2

# 毎日〝きのこの山〟食べてても、どんどんきれいになるんですー☆

引っ越ししてちょうど、じゅんせーの離乳食が始まりましたが、なんとかやってます。豆腐は柔らかいし、よく食べるから便利ですね。他にも柔らかい物をすりつぶして食べさせてますが、何でもよく食べてくれます。外食もお弁当も多いけど、ほどよく力を抜いて、適当にやってます。

といっても新居では、以前より料理する機会も増えました。キッチンが広いので、ご飯をつくるのが楽しいんですね。しかも岡田がお皿洗いしてくれるので、わたしはつくる楽しみに没頭できます。

食べ物の話でいうと、わたし、授乳中だった時も毎日〝きのこの山〟食べてました。しかも一箱まるごと。調子よけりゃポテチも食べてます。するとどんどん痩せて体型も整い、肌の調子もよくなって、みんなに「ますますきれいになったね～」と言われるようになりました！

以前のわたしは〝頭の知識〟で食べ物を選んでたんです。でもそれをやめました。これ、〝制限しないと幸せになれない〟マインドの中にいて、そのように生きてきたわたしにとっては、実はしんどいことでした。好きな物を食べようとすると、罪悪感と共に、それまで学んだ食の知識が浮上してきて、邪魔をするんです。

でも〝食べたい物を食べて幸せになる〟進化系の人間になりたかったので、純粋に好きな物を食べることを続けました。その結果、疾患から回復して健康になり、きれいになれました。

## 〝好きな物を食べ続けるときれいになるよ〟by子宮

これって聞いたことはあったんですよ。でも絶対わたしには当てはまらないと思ってたから、そうなれて嬉しいのです♪

でもこれ、決して人様におすすめしているわけではありませんよ。わたしが今でもなお実践中ですから、誰にも結果はわからない。でもま、さらに幸せになるんで見ててねー。あ〜こわい♪

知識で食べることから離れ、それが抜けるまで、2年はかかったと思います。知識は体をも変えてしまいます。**〝添加物を食べると舌がビリビリする〟**と学ぶと、本当にそうなるんですね。だから〝わたしは添加物が食べられない体なんだ〟と思い込むこともできるんです。

わたしがなんで知識で食べるのが嫌になったかというと、それは他人の知識だったから。**〝それはわたしじゃない〟**って思ったんです。

わたしはね、人間の体が進化すると、添加物を摂取しようが、何を食べようが、あらゆる物から自分に必要な栄養を吸収し、不要な物を排出できると思ってるんです。そして**エネルギーを自給自足できる体になれると思うんですね。**

今ほとんど食べないで生きてるって人もいるっていうしね。本当に必要なエネルギーは、外からの栄養をとらなくても、自分の中からあふれ出すんじゃないかなと思ってます。

わたしはひとりえっちやセックスでそれが叶えられると思ってます。それが進化した人間だと思うのね。

今〝○○を食べると健康になる。○○を食べると病気になる〟って考えて食べてる人が多いけど、これってまじ、ダッサイ退化した人間なんじゃない？って思ってます。

「風邪をひいたら○○」って、**えっ？　誰の体の話してんの？　それ、いつの話？**　って思うんですよ。というか、その考え方自体が病気って気がします。過去のわたしがそうだったから。

ねぇねぇ？　自分が何を食べたいのかもわからないの？　ねぇねぇ？　自分の体のことを自分以外に聞くの？　お医者さんに全部聞くの？　栄養学者から取り入れるの？　本から学ぶの？

そもそも好きで食べようとする物は、体が欲している物なのではないのかな？　と思うんですよ。

特別、病気でもないのに、〝病気にならないように〟しながら、誰かの知識のまま生きてて〝自分がない〟人って、死んだように生きてるようなものじゃない？

自分自身を理解するために、相談したり参考にしたり、勉強することも必要な人はいるだろうけど、でも最後の最後は自分だからね。

## 他人の知識より自分の直感で食べて！
## by子宮

# 3 女の仕事は、月のリズムに合わせるとうまくいく♪

出産が終わって月経が始まると、また月経と共に過ごす時間が多くなりました。それとともに、いろいろ考えることがあったんですね。自分の月経と向き合い、女性本来の力を発揮する生き方ってなんだろう？　って。

まずですね、私たちが普段目にしている四角い土日休みのカレンダーってあるじゃないですか？　あれって、女性の体には本来不向きなんですね。そこに合わせて仕事しようとすること自体が、男性に張り合って、自分の女性性（膣力&子宮力）を潰していることになっている……と言ったらビックリしますか？　こんなふうに自分の中にある〝女性性の否定〟っていうのは、すでに無意識・無自覚に起きているんです。

**本来、女性の休日は、土日ではなくって、〝月経中〟なんですね。**この月経周期は、月のリズムに連動しています。**子宮と宇宙は連動しているんです。**自分自身の意志ではコントロールできない力に、影響を受けているんですね。

## もう月に、月経に、子宮に、委ねちゃいなよ！ by子宮

最近はカレンダーやスケジュール帳に、月の満ち欠けが最初から書いてあるものがありますよね。それを上手に利用してください。

わたしの場合、夜の仕事で自分の性に向き合わざるを得なくて、それがよくわかるようになったんです。

最初は昼と夜の仕事を掛け持ちして、「わたしは道に外れた人だから、当日欠勤なんてしてたら、もう、本当に本当にダメ人間だ」と思って、生理の時もかまわず働いていました。

やがて病気がちになり、しんどい時に「生理が来た」と言って当日欠勤を月に何度もしました。1か月に何回生理が来るんだ!?ってくらい（笑）。幸い

つっこまれたことはありませんでした。

その後、頑張りすぎてうつになり、昼の仕事をクビになりました。その時夜の仕事でも**〝ずる休み〟**というものを人生で初めて連続させてみたんです。

その頃から、〝子宮の声〟が聞こえるようになりました。「具合が悪くて休んでるんだから、罰なんてあたらない。ましてや月経中は、子宮から血液が出ている状況。休んでいいに決まってる」ってね。精神疾患の時って、子宮からくる魂の声がゴングを鳴らしたように聞こえるんです。

休むこと自体は怖かったけど、頑張って休みました。**いつ来るかわからないお客様に合わせるのではなく、私の出勤する日に合わせなさい！　みたいなノリになっていったんですね。**

なんとそれが大ハマりだったみたいです。それを続けていったら、面白いことが起こったんですね。それまでだらだら週6で出勤して、稼げる日と稼げない日があったのに、週3でも毎日稼げるようになったんです。お店からもお客様からも、お姫様みたいに大切に扱われるようになりました。

お姫様みたいに扱われても、今度は「はるちゃん、出勤してよ～」って言われます。その時は「あぁ、そうかわたしは必要とされているんだ」って思えるけど、だからといってお店に合わせるんじゃなく、**「その日は寝るから無理」**って言って断りました。

「他に用事があるから無理！」ではなく「寝るから無理！」ですよ。もう、堂々とダメ人間やってます。なのに、お姫様扱い（笑）。以前の自分からは想像もできないほど、自分をアピールできるようになっていったんです。

このことからわたしは、**「他人に優しく」ではなく「自分に優しく」することを頑張るべきだ！**　と気づいたんですね。この一連は、まさに月経が教えてくれたことだと思ってます。

これはいろんな職業につく女性にいえることだと思います。

**女性は休むことに罪悪感なんか持たずに、もっと自分のリズムに正直に働いていいと思うよ！**

# 4 布ナプキンを使えない仕事は努力しないと稼げない!!

女性が自分の体のリズムで生きるために、わたしがおすすめするのが布ナプキンです。

布ナプキンの効果効能はさておいて、**布ナプキンを使えないほど忙しく働いているのであれば、それは確実にあなた本来の働き方ではありません**と言いきります。自分の可能性を潰してしまっているんですよ。

布ナプキンを使えない仕事環境は、

1　本当に頑張らないと稼げない。

2　頑張っても稼げない。

3　稼いでるけどパートナーとうまくいかない。

このどれかなんです。

そりゃそうなるよね、って思いますよ。子宮って守護霊みたいなもので、持ち主の女性を護ってくれるんです。なのにその声を無視してると、脳みそも**「頑張らないと自分を守れない」「苦労しないと幸せになってはいけない」**と考えるようになってしまうんです。

もし月経でお腹が痛かったり、具合が悪いのに、薬飲んで、むち打って働いてしまうのであれば、それはそんな概念が働いてしまっているということです。

体の状況を無視して頑張っても、現状の生活を維持することにしかならないんですよ。そのループにはまってやがて体を壊したり……。はっきり言うけど、**膣と子宮の状態が、経済状況とイコール**ですからね。

それとね、**現代女性は、生殖器からの感情の起伏をなかったことにしてしまう持ち主になってしまってます。**悲しければ、笑顔を。寂しければ、仕事を。嬉しければ、抑える……。全部、他人のために。そんなことをしてませんか？

女性器（膣だけでも）は感情の起伏が激しくて持ち主が一番迷惑します。でもだからこそ、持ち主が何もしなくても幸せになれる力を遺憾なく発揮するんですよ。

もちろん、布ナプキンを使わなくても欲しいものを全部手に入れてる方もいらっしゃいますよ。それは膣が柔軟で、子宮は温かくて、心と体とがゆるゆるで、パートナーシップも豊かで、セックスもしてるような人です。でも布ナプキンを洗うのがめんどくさいと思う人は、無駄に頑張ったり嫌なことをやってる時間が多くないかどうか、一度生活を振り返ってみてくださいね。

まず月経中に布ナプキンを使って、自分の子宮から出てきた血液を見ることって大事だと思うんです。そうすることによって、女性である自分自身と向き合うことができます。

**月経血は「魂の涙」**であって、持ち主の女性のために涙を流してくれているように感じられるかもしれません。それだけ何事も自分が中心で、自分のために存在してくれてるんだって思えるんですよ。

そうなったら月経が、女性であることが、嬉しくなってきませんか？　これこそが、布ナプキンの効果効能です。

でもね、**自分のリズムを生きられなくて、一度潰れることも悪いことではないんですよ。**なんといってもわたし自身がそうでしたけど、潰れてやっとわかることもありますからね。

今のわたしは避妊具のリングを入れたせいか、生理が長引くし、月経血の量が多くなりました。でもこれは、「もっともっと動かなくてもいいのに……」っていうサインだと思って、〝働かない〟を貫いてます。そうしたら、ますます子宮が、わたしに全力で可能性を見せてくれるようになりました。

## 子宮さん、今までもありがとう♪
## これからもよろしく♪

みなさんも女性器に向かってそう言ってみるといいですよ♪

5

# 人の悪口は言いましょう(　、∀、*)本当は誰に何を伝えたかったのかがわかるから

現代のタブーばかり言っているわたしですが、「悪口」についてもそうです。わたしは悪口言うのは賛成というか、一度声に出すことが必要だと思ってます。だって腹にたまってるんでしょ？　出さなきゃ！！！

わたしもそうだったけど、**腹にため込んでため込んで、心身の調子を崩してる人**って今いっぱいいると思うんですよ。**そんなに自分を苦しめるんだったら、悪口で出してあげなよ**、って思います。

わたし自身、自分と向き合わざるを得ない生き方になった時、やっぱり我慢して我慢して、我慢しまくってきたことが、暴言となって口から出て、もう止まらなかったんですね。

で、それからどんどん気が済んで、心が穏やかになりました。言葉にも響き

が出るようになって、やっと大切な人に伝えたかったことを伝えられるようになったんです。そのプロセスを踏んでいるから、**悪口って悪いだけのもんでもないな**、って思うんですよ。

それでね、どれだけの罵詈《ばり》雑言《ぞうごん》だったとしても、たまねぎの皮をむくように、出して出して出しまくると、芯の部分には、一番身近な人に伝えたかった、**〝愛されたかった〟〝寂しかった〟〝優しくしてほしかった〟**って気持ちがあるだけなんです。

悪口は、**誰に何を伝えたかったのか知るための材料となりますので、言った時にそれを慎重に見つめてみてはいかがでしょうか。**

「悪口を言ってはいけません」って言う人は、やっぱり自分が周りに悪口言われて寂しくなってるんですよね。

「いじめをしてはいけません」って言う大人も同じだなって思うんです。大人らしく道徳的なことを言っているように見えて、実はよくよく振り返ってみると、自分がいじめられた経験から精神的に立ち直れてなかったりするんですよ。

そういうことを言うなとはいわないけど、本当に言いたいのは違うって気づいたほうがいいですよね。だって自分の本音がわからない限り、立ち直ることはないんですから。

## 悪口出せば、本当の気持ちに気づくよ！by子宮

生まれて、生きていて、なんにもないわけないじゃん？ ゆううつなこと、嫌なことにきちんと向き合えば、立ち直れるし、やがてそれが自分にとって素敵な世界をつくってくれるんですね。

わたしも過去に殺されかけたことがあったけど、残念ながら今生きています。けど、その時の〝恐怖〟が、今やわたしの人生をきらびやかに演出してくれています。

# 6 眠くて眠くてふらふらな時ってあるよ
## ～人生好転のための必要な睡眠欲～

この前子宮温活をしたところ、眠くて眠くてフラフラになり、ずっと寝続けました。

人間が生きるために必要な欲求を教えてくれる場所が、膣だと思うんですね。眠気も、膣そのものが訴える欲求です。眠たくて眠たくてしょうがない時って、「あんたはこんだけ寝なきゃいけなかったんだよ！」って怒られてるみたいです。

人間の三大欲は食欲・性欲・睡眠欲だなんてことは聞いたことがあるかと思いますが、まさにその通りで、**まず先に満たしておかなければいけない欲求です。**

寝不足では何をやってもうまくいきません。性欲がなくなったり、ストレスで食欲に走ったりして、他の欲求にも影響を与えます。

## だったら、寝ろよな！　by子宮

寝不足のまま、「人生がなんでもうまくいくメソッド」とかやってみたり、何かのセミナーに行っても、好転するわけがないじゃん？　って思いますよ。

温活で眠くなったとしたら、そのぶんが、今日までに清算しなければいけなかった睡眠の時間や質のぶんだと思います。

セックスやひとりえっちの後、寝れるのもそういうことだと思います。お風呂の時など、膣を指で存分に、自分を愛するようにマッサージしてあげると、膣や子宮が温まってよく眠れるようになりますよ。

でね、この睡眠欲を満たしてくれないものを、排除したり手放していくと、自分にとって理想的な環境が手に入ると思います。時間はかかるし、行動次第ですが。

わたしはもともと休み方がわからなくて、会社で働きすぎ、寝不足で、精神疾患になりました。で、会社クビになった後、フテ寝ばっかりしてたんです。「もうなまけものでいいや、眠いです」って。それがわたしが好転するきっかけだったんですね。

誰でも、めちゃめちゃ寝たら、120％で人生好転すると思います。睡眠不足って、健康以外でもお金とか人間関係とかにも支障をきたすと思いません？ **本当に豊かな人に、寝不足はいないと思うんですよ。**

私はいつも自分の欲求に素直に従ってくださいと言ってますが、まずはこの、三大基礎欲求から叶えていってくださいね。

# 7 ジャッジしろよな(。▷。)
# 嫉妬は自分自身を縛ってる証

以前ブログで、〝自分を信じることが、人に影響力を与えるヒケツ〟って話をしたら、大反響でした。

でね、わたし自身はどうしているかといいますと……例えばFacebookだったら、基本的に自分のページしか見てません（笑）。岡田にも「こんなに自分のページばっかり見る人、初めて見た！」とか「こんなに自分にしか興味ない人初めてだ！」とか、しつこく言われるくらいです♪

暇な時は友人の記事も見ますし、〝いいね！〟ボタンも押しますが、基本的には自分が書いた記事とか、うまく撮れた写真を何度も、何度も、何度も、何度も見ちゃうんですよね。これって、他人から影響を受けないし、ストレスないじゃん？

あと、意味不明なコメントは即消しです。こういう時、織田信長キャラになるんだよね、わたし。つまり、「女、子どもかまわずぶった斬る！」

言葉こそおぞましいものの、「嫌なもんは嫌なんだから、自分に遠慮しない」を徹底するんです。そのコメントが目立って悪意のあるものではなかったりすると、ためらう部分もあります。でも、やっぱり嫌なんだからしょうがない。自分の気持ちに素直に従うだけです。

で、悪意を感じるものは即ブロックしてます。だけどね、自分を優先してきた結果、もうそういうものはほとんどこなくなりました。

逆に「はるちゃん大好きー」とか、わたしに好意があるコメントや記事は、ウエルカム！　どんどん受け取ります。そしたら、やっぱりわたしの世界はそういうものばっかりになるよね。

それくらい自分に興味を持って、自分に集中したら、自分の世界は案外広がるんですよ。それがわたしの秘密です。

つまりね、**子宮の声を聞いて〝好き・嫌い〟がはっきりわかったら、〝好き〟**

**だけを選ぶと、その領域が広がっていくんです。**ますます好きな人が増えたり、自分の好きな新しい世界に出会えたり。これ、子宮の能力だと思います。

なんか人生がくすぶってたり、自分の世界が広がらないって思う人は、自分の中の「好き・嫌い」や「yes・no」に素直に従えなかったり、その感情にフタをしちゃって、わからなくなってるんじゃないかな。もちろん、子宮も物理的に冷えていると思います。

よく「ジャッジしない」「ジャッジしてはいけない」とか言われてるけど、

## ジャッジしなよ！ by子宮

誰だって良い・悪い、あるに決まってるじゃん!? ジャッジできないと、お腹が冷えて体も冷えるよ〜！

実はわたしもね、こういうことする人が大嫌いだったんですよ。**気に入らんヤツはぶった斬って、好きな人や物で自分を囲む！……**これって、とっても〝自己中〟じゃないですか！ そんなやつ、最悪だと思ってました。

けど、今度はわたしがそうなった。そこにいくまでは自分との闘いだったけど、**わたしがわたしを生きると決めたら、そうすることしかできなくなったんです。**

今となっては、よくわかります。「最悪！」と思った人たちにわたしは激・嫉妬してたんだなぁ、自分もそうなりたかったんだなぁって。だから気づくまでそんな人ばっかりと出会わされました。自分の世界に嫌いな人が出現する時、あるいは自分の中に嫉妬が生まれる時っていうのは、自分で自分の欲求を縛ってる時なんですよね。**世界には、自分のカケラしかないのよね。**

悪意を感じる批判コメントを送る人に関しても、嫌だって思うことは、わたしはその人が羨ましいと思ってるのかもしれない。わたしはそれ、やりたくてもできないからね。だから、まだまだ自分の欲求を縛ってる自分に気づかせてくれてありがとう、って思えちゃう情けないわたしがいます。

好きも嫌いもはっきりさせるのは、とっても勇気のいることだけれども、できたらできたで、自分の癒しや気づきは必ず訪れると思うんです。

## 8

# 世にも恐ろしい自分の声。結局、敵は自分しかいない(*、-_-)

わたしは世間から見たら立派な〝ダメママ〟です。毎日昼頃に起きて、うだうだ授乳して、じゅんせーとおしゃべりしながら、冒険ものの映画のDVDなんか観てます。夜中まで観ている時もたびたびです。

じゅんせーを寝かせる時間はないよ。じゅんせーが勝手に寝るだけ。そして、昼頃みんなで起きる。あ、岡田はもうちょっと早く起きてお洗濯しています。食事はいつも買ってきたお弁当です。そんな気ままな毎日をじゅんせーと岡田と三人で過ごしています♪

どこかの厳しい母親に怒られそうだなぁなんてワサワサするけど、そんなワサワサは夜の仕事してた時も、父親不明の赤ちゃんを妊娠した時も、結婚した時も感じてました。

ずーーっと前から、「誰かになんか言われるかな?」ってワサワサしながら生きてます。生まれた時からかもしれません。でも、みんなそういう気持ちってあるんじゃないかな?

だけどね、気づいたんですよ。

## いつも一番怖いのは、自分の声 by子宮

こんな生き方を発信してると、たまに言われることがあります。**「裏切られる世界でしょ?」「変なコメントいっぱい来るでしょ?」「余計なお世話的なアドバイス来ない?」「変なことたくさん言われるでしょ?」**なんてね。でもね、全然ないんですよ。

**世界には自分しか敵がいないんじゃないか?**って思うほどに、私の言うことや書くことには批判がなかったんです。結局、自分が一番怖いんですね。人は自分の声に最も悩まされるものなんです。

最初、ほんのちょこっと批判されることもありましたよ。それに腹立つこと

も正直、あったのですが、わたしね、**批判すら自分の声**だと思ってたよ。まだ自分が自分に対して自信が持てない証拠なんだって。

だって「これ書いたらなんか言われるかな？」ってオドオドビクビクして思いながら書いた文章には、〝自分の想像通り〟のコメントがついたりするんです。思った通りに叶ったともいえます。

だからといって、無理に不安にフタをして「絶対に誰にも何も言われないから大丈夫だ」と考えればいいのかというと、そういうことではないんですよね。オドオドビクビクを、いちいちドキドキするのに疲れるまで思う存分、ひたすら繰り返すだけです。

あとね、例えば「これをやったら、あんなふうになっちゃうかも」とネガティブになったら、それを、自信をなくしてる〝子宮の声（女性性）〟だと認識して、〝切り返し脳（男性性）〟で「絶対にそうはならないから、君の好きなようにやればいい。僕が守るから」というように、励ますのもありです。

そんなふうに脳（男性性）が「大丈夫だよ」的なことを子宮（女性性）に言

ってあげるとね、なんと‼ **安心して不安でいられるんです。**つまり〝不安でもいいんだ〟って安心できるんですね。これ、フタをするのと違うからね。やってみればわかります！

で、そんなふうに自分との対話をしていくと、本当に外側に守ってくれる人が一人以上現れるんですよ。これってブログなどで自分の意見を言うことだけじゃなくて、生き方そのものにいえます。

不安そのものも安心して受け入れた今のわたしは、**「わたしらしく」とか「わたしはわたしでいい」とかが当たり前になって、そんなこといちいち思わなくなるほど、自分に夢中です。今不安になってる皆さんもぜひ安心して、そんな毎日を送ってくださいね♪**

# 9 「自分が悦ぶことがわからないから、何を選んでいいのかわからない」これ、現代病です

講演会で、「子育て中の食事に関して、放射能とか怖くないんですか?」という質問をいただきました。その際の、わたしの答えは、

**「放射能より、知識で食べるほうが怖い」です。**

わたしも一時期、放射能だとか農薬、添加物など、とっても気にしていました。美味《おい》しいものを食べるより、知識優先で、何が毒なのかを気にして食べていたんですね。そうしたら、すべての食べ物に疑いを持つようになりました。すると体調がよくなるどころか、どんどん悪くなり、あげくの果ては、何が美味しいと自分で感じるのかがわからなくなりました。

今は、全く気にしていないし、直感で食べたいものを食べてます。食材を買う時は、例えばお野菜だったら、お野菜と対話しながら選ぶようにしています。

そうすると、「私を食べてー!!」みたいな感じで、お野菜が話しかけてくるような気がするんです。まあ、ほとんど料理はしないけどね（笑）。

**自分が悦《よろこ》ぶものが何なのか、自分でわかって、自分で選択できること自体が健康なのではないかと思っています。**

このフレーズだと、いまいちインパクトがないと思うので、これを逆に言うと……**自分が悦ぶことがわからないから、何を選んでいいのかわからない……これ、現代病です。**わたしは、そうなってまで〝毒〟の選別をしたくないと思ってます。

自分自身が躍動感あふれる生き方をしていたら、世界に対する絶対的な信頼感ができてくるんですね。食べ物を選ぶというより、食べ物がわたしを選んでくれてるから、大丈夫だって。それだけ信頼してると、本当に大丈夫になると思うんですよ。そりゃね、毒キノコとか、フグの毒といった即死するものの知識は必要かもしれないけど、本当はそれすらも寄せつけないのではないかな？とわたしは思ってるんです。

だから、じゅんせーの食事も、そこいらの食材を選んでます。だってわたしにも子どもにも必要なものしかない、そして、世界はわたしに危険をもたらさないって信じてるから。

以前、食べ物のことを勉強していく中で、**わたしはまるで世界が敵のように思えてくるのを感じました。**「こんな体に悪い食べ物ばっかりつくりやがって」ってね。でもね、その世界観は自分自身がつくってるものじゃない？　って気がついたんです。

だから、世界が自分に優しいと思えるには一体どうしたらいいのだろう？って考えました。その末に、**ひとつひとつの選択をする時に「自分の悦ぶこと、もの」を選んでいくことにしました。**

そしたら、近所が自然食品店など、体によいものを売ってるお店でいっぱいになったんですよ。現実も本当に自分に優しいものに変わっていったんです。これってすごいことだと思う‼

世界をつくってるのは、結局自分だったってことですね。食べ物だけの話じゃなくて、お仕事やお金やご縁を含め、衣食住すべてそうなんです。子宮と両思いになるとね、世界と両思いになったことと同じで、子宮がわたしの世界を生み出してくれるんです。食事だけじゃなく、私に必要なものはすべて、子宮がちゃんと運んでくれるんですね。

## 人間にはものすごい可能性がある！　by子宮

その可能性を、知識だけの生き方で台なしにするのは、もったいない話なんですよ。

本当に自然食やナチュラルなものが大好きな人はずっと続くし、周りもナチュラルなものに囲まれていきます。でもね、〝毒だから〟で避けるとどんどん毒が集まって、いつまでも思い悩むことになるんです。

それにベジタリアンとか粗食の発端者って、〝毒だから〟で発信してなかったと思うんだ。きっとそれが好きで好きで、面白かったんだと思うんです。

わたしは、もちろん近所の自然食も嬉しいけど、他のジャンクなものだって美味しい・好きで選びます。完全母乳育児ですが、タバコもお酒も大好きだし、コンビニの塩むすびとカフェオレも大好き、肉もラーメンも大好き！　だけど家族がみんな元気なのは、自分の子宮からの欲求に素直に従ってるからだと思います。

**自分の感覚を置き去りにして、知識優先になるとね、自己実現のためのエネルギーが、自分に向けられるのではなく、「わたしをわかってほしい」というように周りに押しつけるようなカタチになってしまうのです。**でね、エネルギーがどんどん外に出てしまって不健康になるんです。これ、人間のメカニズムです。

# 10

# 子宮マッサージで出てきた子宮の声。「わたし、子どもに興味ないんです（笑）」

出産後4か月たったある日、お友達の彩ちゃんという整体師さんに、整体と子宮マッサージをしてもらいました。そうしたら、血流をすぐに感じて激熱《アツ》になって驚いた！　子宮が即反応して、今まで出てこなかった本音が、子宮からいとも簡単にポロっと出てきました。

で、その言葉というのが、

**「わたし、子どもに興味ないの」**でした……。

すぐに思考が追いついて「えっ？　そうなの？　なんで？　毎日じゅんせーとの生活、楽しんでなかったっけ？」と冷や汗。でもまたすぐに「そうか、わたし、子育てで興味ないことは、何もしてない。だから子どもと一緒にいる時間がとても楽しいんだ〜！」と体が納得。この思考と体との会話は、体内で1

秒もたってないうちに終わりました。

で、その一瞬の中で出産後からの時間を振り返ったのね。里帰り中の実家では、大家族だったから、赤ちゃんはみんなにたらい回しにされてました。それをいいことに、わたしは全力で休憩ばっかり。東京に戻ってからも、家にいる岡田に預けて、わたしは全力で休憩ばっかり。そしてよく休んだら、ブログ書いたり、遊びに行ったり♪　子どもは誰かが見てくれているだろうと安心して、目の前のことに集中してました。

それに家にあった育児書というものも読んでみたけど、何ひとつそれ通りじゃなくて、岡田と笑って静かに閉じたよ（笑）。

それだけ**「親たるもの、こうすべき」**っていうやつに縛られてなかったってことです。

**だからこそ子どもといる時間が、輝いたように幸せなんだ！**　って思ったんですね。

わたしの育児は、情報に振り回されない、自分の子宮の直観に従ってするものなんです。子宮で育ったんだもん、わかるよ。子宮はなんでも知っている。そして、私に教えてくれる。

自分で産んだ子を育てるのは初めてだけれど、不思議と悩みがないのは、直感で動いてて、脳みそを使ってないから。すると子どももすくすく勝手に育つんです。だからこそ、子どもに興味ないわたしでも幸せなんです。

でもね、今回のことで、**〝母親は子どもに興味があるのが当然〟**とか**〝子どもに興味がないと母親失格〟**っていう意識がわたしの奥の奥の奥に眠っていて、自分を縛っていたっていうことがわかりました。これって、多くのお母さんの価値観に無意識にへばりついてて、葛藤したり、下手すりゃ自分を脅迫していると思うんですね。

お母さんが何もかも曇りなく、あるがままに存分にしていたら、子どもと一緒にいる時間も宝石みたいに輝くし、心がはればれします。そして子どもはそんなお母さんの純粋さを空気で感じて、勝手に育っていくと思うのね。

だとしたら、自分のしたいことを楽しんでるお母さんの**「子どもにかまって**

**あげられてない」**っていう罪悪感、いらなくないかね？

ネグレクトや虐待って、お母さん自身が心から充実して満足していたら起きにくいともいうよね。逆に、お母さんが自分のことを置き去りにして、〝子どものために〟しようとするから、育児がうまくいかなくなるんじゃないかなって思ったよ。

まとめると、

**・私は自分にしか興味がない。**
**・自分がご機嫌だったら子どもにもご機嫌で接することができる。**

ってことです。

で今回、わたしもマッサージで大満足だったし、じゅんせーもあんよマッサージしてもらって、ご機嫌。わたしはそんなじゅんせーがかわいくてしょうがありませんでした♪

# 育児も自分中心でうまくいく♪　by子宮

# 11

# もっと病気に甘えなはれ♡ あきらめなくていいことはいっぱいある

〝悪いクセ・習慣〟とか、〝病気〟とレッテル貼られるようなことって、結局、その人の持ってる才能や可能性と同じだと思うんです。

例えば、最近よく聞く大人のＡＤＨＤね。

・落ち着かない感じ↓**現実をファンタスティックに生きる才能がある。**

・貧乏ゆすりなど、目的のない動き↓**目的なんかなくても暇つぶしレベルで何かやって、それで幸せになれる才能がある。**

・思ったことをすぐに口にしてしまう↓**口にしたものは叶ってしまう可能性を秘めている。**

・衝動買いをしてしまう↓**好きな時に、好きなぶんだけ買える環境を手に入れられる。**

・仕事などでケアレスミスをする→**ミスをすればするほど愛される才能がある。そしてミス自体を招かないよう周りが全部やってくれる。**

・忘れ物、なくし物が多い→**自分の身ひとつあれば、他に絶対必要なものなんてないと知っている。**

・約束を守れない→**もともと必要のない約束をなくしてくれる。**

・時間に間に合わない→**時間のほうが自分に合わせてくれる。**

・片づけるのが苦手→**片づけてくれる人が現れる可能性がある。**

そういうふうにね、できないことにはたくさんの可能性があるんです。

だから、「病気だから幸せになれない」「病気だから幸せになってはいけない」なんて言ってる人がいると、ムッとします。

**おまぇらぁぁあ、もっと病気に甘えろやぁぁあ!!**
**by子宮（口悪くてごめんなさい……）**

これ、過去のわたしもそうなんだけど、〝病気〟とか〝疾患〟とか〝障害〟

とのつき合い方がヘタクソな人が多すぎると思うんです。あと、産後の女性もね、出産って、体にとっては事故で内臓損傷級のダメージだからね！

**もっと自分を大切にしな！**　って思いますよ。

**自分の体や病気ともうまくつき合えない女が、いい男とうまくつき合おうなんて無理だからね！そりゃろくな男との出会いもねぇし、恋愛もうまくいかんわ!! by子宮（あ、言いすぎ……）**

わたしのブログの読者さんでも、精神障害2級っていわれる精神疾患の方がいました。その方は、わたしの記事を読んで、〝自分は自分〟って開き直り、「病人だからと思ってあきらめるのやめた」って思ったらしいんです。で、めちゃくちゃ素敵な旦那さんと、宝石箱の中のような幸せな生活を送ってるって教えてくれました。

わたしも昔、病気だからわたしはダメなんだ、幸せになれないと思って、いろんなことをたくさんあきらめてました。その時はその時で、きっとあきらめてみたかったたし、何かに疲れていて休養が必要だったんだって思っています。でもね、それって「あきらめるのをやめよう」と自分で決めたらやめられるんですよ。

わたし自身もＡＤＨＤっていわれて、精神疾患の特徴はそのままだったけど、体は元気になって、開花した。人並みにできないこと？　そりゃ、いっぱいある。でもね、今は、それで幸せになって、「**わたしは一生男を振り回して生きるから大丈夫！**」っていう自信がついたんです。

病気があったって幸せになれるしね、**あきらめなくていいことはいっぱいあるからね！**

chapter 3

はるの日常
〜子宮の声を聞く生活ってこんな感じだよ〜

# 12 頑張りやさんが不妊になりやすいのかも

「はるさんは不妊についてどう思いますか？」と聞かれることがあります。一概に〝不妊〟といっても個人によって背景は全く違うと思いますし、断定しづらいものもあります。が、それでもあえて言うならば、不妊に悩む方は、潜在的に「本当は妊娠したくない」「妊娠したら困る」と思っているように感じるんですね。

わたしは不妊の方とたくさんお会いしていますが、その方々はみんな例外なく〝頑張りやさん〟です。**〝頑張りやさん〟はね、〝我慢しすぎやさん〟なんですよ。**感情圧縮袋である子宮が、たまった感情のエネルギーでパンパンなんです。イメージ的には、子宮に感情を身ごもっているようです。それじゃあ、赤ちゃんは入ってこれないよね？

## 感情がたまってて、赤ちゃんが入れられないよ～　by子宮

その人たちに子宮の声を聞いてもらうと、よく**「子どもなんて身ごもったら、わたしはもっと無視される」**って言葉が出てくるんですね。

確かに、その状態で出産・子育てしたら、子どものことばっかりで、〝自分無視〟になりますよ。そんな生活を続けていたら、最終的には母子の生命の危機に関わるかもしれないんです。

子宮にたまった感情を突き詰めていくとね、その根源は〝寂しさ〟です。それは人間の自然な感情だと思うんですけどね、これが〝妊娠したらその寂しさが埋められなくなる〟という不安をもたらします。多くの女性がその話をすると、心当たりがあるようです。子宮に本心を聞いたら**〝妊娠できない自分でいないと、周りから心配してもらえない〟**と言われたという人もいます。

だからもし、本当に妊娠を望むのであれば、女性がまず自分に優しくして、

自分でその寂しさを埋めるべきなんじゃないかな、と思います。子どもが来るまでの時間って、そのためにあるのかもしれません。

不妊治療に関して賛否両論ありますが、わたしとしてはどっちでもいいと思うんです。なんでも気の済むまでやるのが大事だと思っていますから。

ただ正直なところ、赤ちゃんはいつ来るかわからないし、来ないかもしれないじゃないですか。赤ちゃんが来ないと家族は増えないかもしれないけれど、パートナーシップはどこまでも広がるものです。だから赤ちゃんが来なくても、**まず自分とのパートナーシップを築き上げたらいいと思うんです。**

それが目の前のパートナーとのパートナーシップにもつながります。これこそがいつまでも続く永遠の財産になるとわたしは思うんです。

# 13 妊娠&出産時に揺さぶられる感情は胎児の栄養♡

妊娠すると必ずやってくる感情の揺さぶりは、月経なんて目じゃないと思います。月経時は練習のようなものですね。だけど、妊娠中にその感情の揺さぶりの波に乗ることができたのなら、更年期の時もとても役に立ちます。

その波の乗り方を、わたしはみなさんにこう教えています。

まず、妊娠した瞬間から、胎児が育つにつれて、生殖器周りの毛細血管が、子宮を一周するようにどんどん実ってきます。

## chapter 3

はるの日常
～子宮の声を聞く生活ってこんな感じだよ～

↑妊娠中はこんな感じ

↑妊娠していない時はこんな感じです。
とても比にはなりませんね。

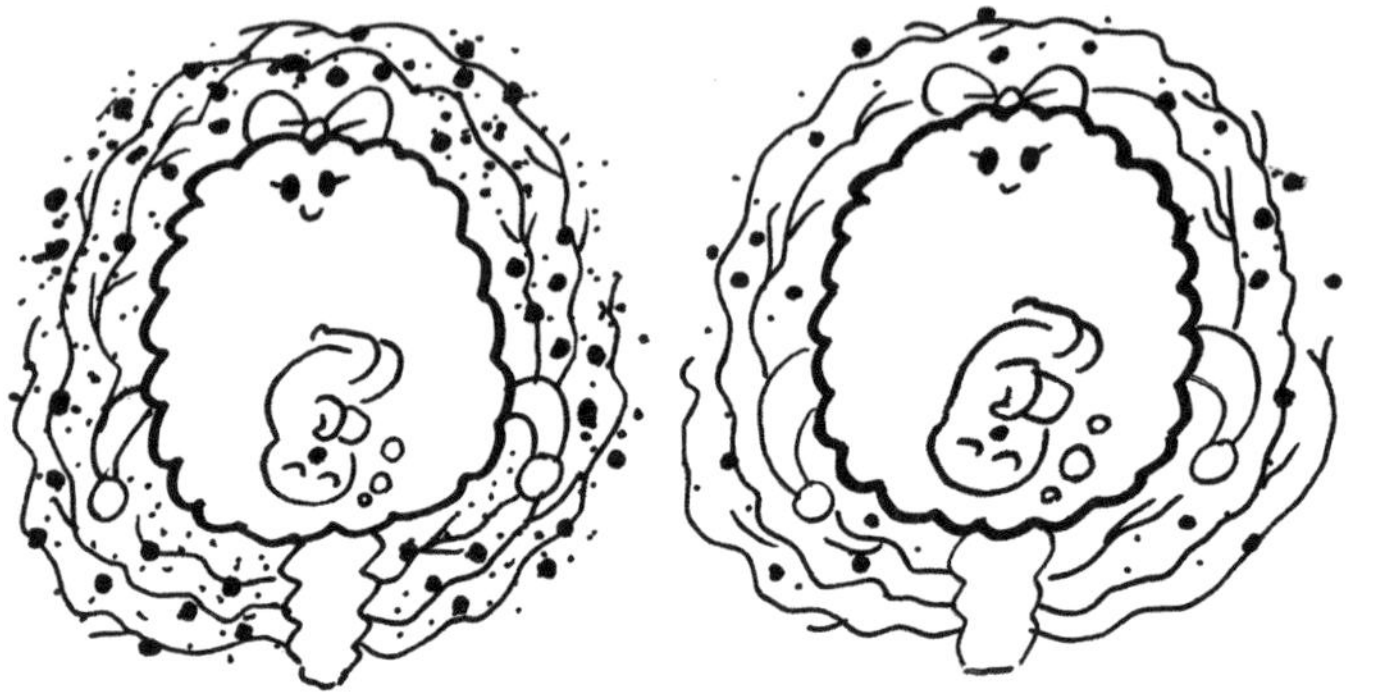

それでね、血管が発達し、子宮が温かくなると、当然抑圧した感情が誘発されます。chapter 1で説明した〝カルマ粒〟ですね。

このカルマ粒も、妊娠していない時とは比べ物にならないほど、深いところ、芯にあるものが動き出すんです。

↗普段動くカルマ粒がこれくらいだったのが（上の図右側）

**←こんな感じになる！**

ここで浮上してきたカルマ粒は、子宮周りで溶けてなくなるわけではないですし、排泄物《はいせつぶつ》として下から出るものでもありません。必ず上半身に浮上し、子宮・魂を苦し

めたぶんだけ本人を苦しめます。慣れてくるとだんだん苦しいのが楽しくなってくるんですけどね♪

ここでのどを痛めるのは、上半身に浮上したカルマ粒をまた飲み込んでしまったためです。妊婦の場合、それが**〝つわり〟**の症状で出てくる方もいらっしゃいます。うまく吐き出すまでは練習が必要ですが、慣れてくると本音を出せるようになってきますよ。

妊婦さんが自分の感情に気づいて、出していくときの注意事項があります。例えば、「赤ちゃんが無事に生まれなかったらどうしよう？」って不安に襲われることがあったとします。でも**そう思ったことを、なかったことにしないでください。**

「赤ちゃんが無事に生まれない」イメージが浮かんでも、打ち消さないようにしてください。それは本人が抑圧した感情に気づきやすくするために、脳が見せているだけなのです。もう不安になるのに飽きてやめるまで、その不安に浸ったほうがいいんですよ。

もしも実際に赤ちゃんが無事に生まれてこなかった場合、それはお母さんが自由に生きるために、感情のデトックスをする必要があったということ。そのデトックスの誘発のために、一時的にお腹にやってきてくれたんです。

ですから「産んであげられなくてごめんね」ではなく、過去の感情を出しきって"自由になる決意"をすることです。お腹で赤ちゃんが亡くなってしまい、決意が自然と湧き出たという人もいらっしゃいます。

さらに例えば、妊娠中の怒り。一番わかりやすいのは旦那への怒りですね。これも同じく、**なかったことにしないでください**ね。

妊娠中というのは、本来心身に不要なのに染みついてしまっているものが、妊娠以前よりくっきり、はっきりわかってしまいます。固定概念や世間体、思い込みといったものですね。それを手放すことが大事ですからね。本当の自分がたとえ「黒くえげつないわたし」であっても、それを表現してみてください。

我慢ばかりをしてきた方は、こまめに感情のままに暴れてください。いつも感情のままに暴れてきた人は、感情が湧き出てきたらそのまま感じてください。妊娠中は、「自分の感情を感じる」ってことが体感としてとてもわかりやすい時期ですから、上手に利用してくださいね。

でね、感情もバイブレーションなので静かに感情を感じてみると、自分の体の細胞が振動しているのがわかると思います。

この感情のバイブレーションは胎児への〝栄養〟です。よく「ネガティブな感情は胎児に影響するから安静に」って情報を耳にするんですけど、私はこう思うんですね。

**〝生きる〟ってことはこんなにも、喜ばしいし、嬉しいし、悲しいし、怒るし、恨むし、寂しいし、感動するんだよ!!**

っていうことを、お腹の中にいるときから教えてあげられるのが最高の胎教と栄養だと思うんです。

あくまで子宮委員長はるの体感ですが、妊娠中のすべての感情のバイブレーションは、胎児の細胞分裂を円滑にしているように感じました。そして、胎児はその感情のバイブレーションの力で、**不良妊婦**の私が盛ったいろんな毒に耐性をつけて、生命力満開になって生まれてきたように感じるんです。

あ、食事や毒のことはわたしの真似をするのではなく、自分と胎児に相談してね〜！

妊娠中のいいところはもっとありますそれは、**自分自神の極み**までたどり着ける、ってことです。

妊娠中は体力的にも精神的にもしんどいですが、だからこそ自分というものを感じやすくなります。そして〝**自分が中心**〟という感覚の極みまでたどり着けます。いうなれば、女帝意識です。

さらに妊婦は周りに対しても、〝自分中**神**〟が許されます。本来ならば妊娠を言い訳に、動かなくてもいいんです。周りがみんなあなたのために動いてくれて、誰もがお姫様になれるんですよ。

ところが、妊娠中に「だって動けちゃうんだもん‼」「自分一人でなんでもやらなきゃ！」「人に迷惑をかけちゃいけない！」「忘れられたくない！」「わたしが頑張らなきゃ‼」などなど、寂しさにフタするために我慢したり、無理やりポジティブにしようとしてしまうと、そのチャンスを逃してしまいます。

すると産後にもれなく、妊娠中にデトックスするはずだったカルマ粒が襲ってきます。

そこでもデトックスができないと、子宮が産前の状態に戻るにつれて、また自分に気づきにくくなり、恨みつらみがたまり始めます。

こうしてデトックスの機会を失ってしまうと、旦那も、子どもも、親や家族も、会社も、自分の思う通りになんてならなくなります。かまってもらいたかったら素直にかまってもらいたいと言えばよかったのに、やってもらいたかったら素直に頼めばよかったのに、そんな欲求を押し殺して、なんでもかんでも自分でやってきてしまったのは自分でしょ？

## だったらお望み通りなんでも自分でやらなきゃいけない環境をつくってあげる！　by子宮

となってしまうのです！　怖いですね〜。

でも、妊娠・出産でカルマ粒を出せなかったとしても、遅くはありません。今度は生まれた子どもが、そのお母さんのカルマ粒の**引き出し役**を買って出ます。

chapter 3

はるの日常
〜子宮の声を聞く生活ってこんな感じだよ〜

子どもがお母さんの不安や焦りといったたぐいの感情を〝おおいに揺さぶる子〟になるんですね。状況はそれぞれですが、アトピーやアレルギー、病気やけがなど、〝手のかかる子ども〟になったりするわけです。

そこでお母さんは〝子どものために〟と一生懸命になるかもしれないけれど、子どもからしてみれば**〝お母さんの自由のために〟**それをしているのです。

これは子どもに限ったことではありません。一番近い存在だから〝子ども〟の場合が多いというだけで、その役は旦那かもしれないし、お姑さんかもしれません。個人個人でさまざまです。

いずれにせよ、この三次元での現象すべてが、あなたの腹の中のカルマ粒を映し出す〝鏡〟なんです。

まとめると、こんな感じです。
・現在妊娠中の方は、思いっきり感情に揺さぶられてください。
・すでに出産を終え産褥《さんじょく》期の方は、まだまだ間に合います。
・出産から1年以上たった方は、普段の生活の中で十分です。感情の解放が分割化されるだけですから、こまめにデトックスしましょう。
・子宮を摘出された方も、エネルギーはそのまま残っています。それを存分に感じてください。子宮というよりは〝骨盤内〟と置き換えて、その骨盤内の細胞や血管をイメージすると意識しやすいかと思います。
・更年期を迎えている方は、妊娠中と同じです。
とくに、妊娠出産での感情の揺さぶりはとても大変なものです。だけど、ちゃんと恩恵もあります。子宮周りに張り巡らされた毛細血管って、胎児にしっかり栄養を呼び込もうとしますから、お母さんが不自由しないように、必要な**人脈&情報脈&金脈**が呼び込まれるんです！

わたしの場合は、妊娠中に結婚相手が現れたし、出産してとうとう動けなくなった時には、お金がザッパーンと流れてきました。他の人からも、宝くじが当たったりとか、車をもらったとか、妊娠中のハッピー現象はいろいろ聞きます。

でね、そんなことに恵まれる人には特徴があります。

ずばり、〝**なまけもの**〟です。

感情が揺さぶられても、安心してそれにまかせて、しんどい時にきっちり休んでおけば、予想外のハッピー現象に恵まれると思いますよ。

**素晴らしいマタニティーライフを♪**

# chapter4

# 自分中心でいれば、お金、情報、全部いい感じ

# 1 魂が喜ぶお金の使い方で、お金はどんどん入ってくる

ある女性がわたしのところに「お金が回るにはどうしたらいいか」ってカウンセリングに来ました。

その方は、膣の活性などでたまっていた感情が出て、お金も「好きなように使ってみよう！」と思ったそうです。それで生活保護でもらったお金を、行きたいセミナーの受講料に払ったりしてみたんだけど、なかなかよくならなかったそう。

よく話を聞いて、〝罪悪感〟の処理がポイントだってわかりました。

そりゃ、生活保護で国からもらってるお金を好きなことに使うなんて、世の中的にはタブーで、他人の目が気になるよね。

でもその女性は、必ず何かをつかむつもりでわたしのところに来てくれて、

普通は口が裂けても言えないことを正直に打ち明けてくれた。そんな素晴らしい人がこれからよくならないわけがないって思うのです。実際その方は、後にバリバリの経営者になるか、お金持ちで優しい旦那さんと出会うか、と思えるような肚の座り具合だったので、これからがとっても楽しみです♪

生活保護が受けられるってことは、国に愛されてるということ。国に愛されるっていうのは、男からも愛されるってことなんですね。これ、女なら誰でも持ってる才能です。

わたしと岡田もね、出会う前は本当にお金がなくて、結婚当時はお互い貯金ゼロ、手持ち1万円以下でした。それからあっというまに年収2000万円です。

ですので今は税金をドカンと払わなければいけません。ドヨ〜ンだよね。お金の悩みは形を変えてやってきた。

でもね、わたしたちの払う税金で、好きに生きてる人がいるのだったら、もっと税金もろもろを国に払っていいかなって思いました。だから過去未払いだった国民年金も、伝票を再発行してもらい、ごそっと払ってきたよ！

遊ぶように仕事してるわたしと岡田からしたら、払った税金がまた楽しいエネルギーで使われるのだったら、それほど爽快で素敵な循環はないと思ってるんです。

だけど我慢して仕事してる方からしてみれば、生活保護を好き勝手に使う人がいるって、ほんとに御法度《ごはっと》なことだと思います。

自由勝手できままな人に腹が立つのは、本当は自分が自由になりたいから。もう一言足せば、〝自分もその嫉妬した相手のようになれる〟ってことだからね。

わたしも自分に対して〝無価値感〟満載だったときは、働かないのに楽してる人なんて許せませんでした。たくさん我慢しながら〝周りから認められたい〟感いっぱいに仕事して、別にしなくていいことまで気配りばかりして、なんでもかんでもできますぜ！　ってアピールしては、たくさん抱え込んで疲れたわたし。本当は自由になりたかったんです。

でも人はそもそも、何かやったから価値があるんじゃないんですよね。わたしはわたしのままで価値があった。

今はその自分の価値を知ったので、無条件に愛されます。そうなると、動かなくたって世界は私のために回ります。だから**わたしもそのまんまでいいし、周りもそのまんまでいいんだと思えます。**

〝無価値感〟というのは潜在的にあるもので、自分のことなのになかなか気づくことができません。でも少しでも気づいたのなら、誰かに〝愛されたい〟や〝認めてもらいたい〟と思うのと同時に、自分で自分を満たしてあげてね。

そうすれば、周りもあなたを満たしてくれます。仕事も恋愛も、必要なものは入ってきますよ。

お金もおんなじです。お金というエネルギーを、魂の喜ぶことに使って自分を満たすことに、罰なんか下らないんです。でも、とっても多くの人ができないことなんです、ここ。わたしだっていまだに、ちょいとワサワサしますよ。

でもやっぱりそうやって使えば使うほど、確実に入ってくるんです。

**「お金は大事」ってよく言うけど、お金を〝大事に使う〟って、無駄がないよ**

**うにガマンして使うことではないんですよ。できるだけ自分がときめくこと、喜ぶことに使う、ってことです。**

ガマンして使うほうが、実は簡単なんですよ。ときめくことにお金を使うって勇気がいるし、とってても難しいです。

どうか、

# あなた自身の魂の喜びのために、お金を使ってね！　by子宮

# 2 お金、全部使っちまったよー(〃∀〃*)

わたし、いつも食事の買い物は岡田に頼んでるので、たまにじゅんせーを抱っこして重い野菜類なんかを買って帰ると頑張った〜って気になります。

ある日岡田が仕事で留守だったので、買い物の後で食事つくろうと思ったら、じゅんせーが邪魔しに来たから一瞬めんどくさくなった。けど、歩行器に乗っておもちゃつかんで、一人でぶつぶつ言いながら1時間ちょっと遊んでいたよ。あまりにもいい子で、かわいすぎて感激です♪

ご飯がつくりやすい家に引っ越したら、何つくっても美味しい。だから、楽しい。「この家、ご飯つくるの楽しいー‼」って言ったら、岡田が「400万かけたかいあったー」って感激してました。

そうなんです、家を建てたり買ったりするよりは安いだろうけど、結局家具を揃《そろ》えたりしてたら、引っ越し費用が400万円かかりました。しかも去年の今頃、わたしも岡田も貯金ゼロ同士だったのにね。

でね、面白いことに、今もゼロ……（笑）。**全部使っちまったよー!!**

このお金のない感じが久々なもんですから、「もう少しワサワサしていたい」と岡田の変態発言。私も同意！　お金ないってこんなに楽しかったっけ？　って思うくらいです。

わたしたち、お金にも新陳代謝があると思っているので、お金は貯めません。貯めようとすると、滞りになるんです。貯めようとしなくても、貯まることはしばしばありますよ。でも基本的には貯めずに気持ちのいいことに使います。そうするとまた気持ちのいい入り方をするんですね。これ、岡田家にお金が入ってくるヒケツです。

## お金は気持ちよく循環させる　by子宮

# 3 影響力がないのは怠慢です

イベントで集客してもお客さんが集まらない……悲しいですよね。ブログを更新しても誰も見ない、Facebook に記事を上げても〝いいね！〟がつかない……悲しいですよね。

影響力がないのって悲しいけど、そういう人はね、**もっと自分本位でいいんだよって**ことです。そんで、**もっとちゃんと落ち込めよって思うんです。**

例えば Facebook に頻繁にログインしている方の場合、たくさんの情報が目につくと思います。その情報に振り回されて、自分を見失い、人間関係自体に疲れを感じてる方って多いと思うんです。

それって、情報のせいではなく、もともと自分を見失っているんですね。人間関係、情報収集、経済能力……その他いろんなところに不満があるっていうのは、**自分を信じることへの怠慢**が原因です。自分のことを何も信じられないから、他人に振り回されて疲れるんです。

でもね、**影響力のある人は、正解を自分の中に持って、それを信じてるんです**。他人の影響よりも、自分自身からの影響を受けているんですよ。

## 自分が自分自身から影響を受けない人生なんて、腐ってるのと同じなんだよ　by子宮

自分が自分の影響を受けてる人は、めちゃくちゃな情報量の中にいても、自分に必要な情報だけキャッチできる能力がビンビンにあります。そして自分に都合のいいように情報がサポートしてくれるんです。

自分が信じられなくて、周りの情報に振り回されてしまう人は、はっきりいって、ナヨ膣！　です。ナヨナヨしているってことね。さげまんキャラの一種です。骨盤内、膣・子宮周りに発達する血管を、人脈、金脈、情報脈といっていますが、そこの血流が滞ってるんですよ。

そういう人は、間違ったところにプライドが立ってすぐ傷ついたりします。そのあげく他人をジャッジしまくる。視界に入るのは自分の投影ですからね。腐った感情から外を見ても、本当のことなんて何も見えません。

これ、かつての私もそうだったのですが、膣・子宮筋が、冷え冷えカチカチ状態で萎縮してしまっている状態です。

だけど、本当は誰にとっても、**「私はこうだ！」って思ったことが、その時のその人の正解**なんです。それを人間の性で、「間違えたくない」と思ってしまうんですよね。でもね、ほんまもんに影響力のある人は、間違えないわけじゃないんです。間違えたら、「間違えちゃった！」って言うんです。だから、慕われるんですよ。

**私、思うんです。これからは個々が「自分が正しい」と感じていく時代。自分が正しいって信じたら、自分の環境で自分に満足します。そして自分にしか興味がなくなる。でね、そうしたら誰をも否定しないし、他人の領域を侵さないんですよ。それこそが現実の影響力を生むヒケツです。**

**だから、「あいつは間違ってる〜！」って言ってたり、他人の領域を侵してまで自己主張する人は、自分の正しさに自信のない人だと思うのです。他人から得た情報で知ったかぶりをしてるけど、結局〝自分〟が不在。本当は何もわかってない証拠です。**

「自分が正しい」って言うのって、わりかしタブーだよね。でも、やっちゃってください！　これ、いい子ぶりっ子してるとできないよ。

んじゃ、悪い子ちゃんすればいいのか？　っていうと、そういうことじゃないんだけどね。ひたすら自分自身への興味と、集中力を持つ！　ってことです。

# 4 〝わたしがガマンすれば〟の自己犠牲が、子宮の声を邪魔する

「子宮の声を聞いてればうまくいくなんて、信じられない」そういう方もいらっしゃると思います。実は子宮委員長はるでさえ、いつもつい疑ってしまうんです。

ある日なんか、電気代の請求書を見てビックリ。大人2人と乳児1人の家族構成で月4万円。でも、ぜーったい節約しない。わたしが気持ちよくいるために必要なものを使うことが大事だって感じるから。

だけどね、一瞬〝わたしさえガマンすれば電気代は節約できて、自由に使えるお金が増える〟と思っちゃったのね。岡田だって何も言わないのに。

**これだよ、これっ！　〝わたしがガマンすれば〟の自己犠牲が、子宮の声を邪魔するのね。**〝自己犠牲の空気〟を感じたらどうするかというとね、さっさ

と手放すんです。手放したら次に〝実践〟すること。手放すって簡単なようだけど、実践しないでいると、その隙にまた自己犠牲感がやってきます。

だけど、〝実践〟の後には必ず〝それでいいんですよ～〟と宇宙がお知らせしてくれてるような、ＨＡＰＰＹ現象が起こります。

だからわたしは、遠慮せずに気持ちよく電気を使って、気持ちいいエネルギーを循環させることにしました。〝わたしさえ我慢すれば電気代は節約できて、自由に使えるお金が増える〟ではなくって、〝電気代だってわたしが自由に遠慮せず使うお金〟だって考えることにしたんです。

自分自身のしがらみから自由になろうとする時、妄想に後ろ髪を引かれます。「わたしが無駄に電気を使ってみんなの嫌いな原子力発電所が、全国で稼働したらどうしよう……」「わたしのせいで日本が停電したら、困る人たちが大勢出てしまうかもしれない……死ぬ人も出てしまうかもしれない……」「今たくさんの電気を使うせいで、電気の使えなくなる未来がやってきたら、きっと後悔したり、自分を責めてしまうんだろうな……」などなど、電気代の話が日本規模の話まで大きくなって、もはや被害妄想なのか自意識過剰なのかわかりません（笑）。

だけど、その自意識過剰的な被害妄想は手放して、**子宮をくくって**（肚をくくるともいう）、**立ち止まらずに、妄想してしまった暗い未来ではない未来を自分で描こうとすることです。**そうすれば必ずうまくいくんです。私はいつもそうやって自分の人生を創造してきました。

だからわたし、とくに目立った出来事ではなくても、普段の生活の中でコツコツと、自分で自分のブロックに気づいて、それを手放してます。そして子宮の声に従う実践をしていってます。ジミ〜な作業です。

そこまでやらなくても……って思う人もいるかもしれないけど、わたしは、自分の声が可視化された現実を見たいし、生きてるうちに自分の可能性をどこまで咲かせることができるのか知りたいんです。

といいつつ、子宮の声を聞く時はわたしだっていつも不安や恐れまみれです。とくに自分の価値が拡大する時は、怖くなってなかなか一歩が踏み出せなくなります。自分の値段を上げるって、何回やっても怖いんですね。

例えばセッションの金額の値上げの時、前の値段で来てくれようとした方に申し訳なくて、3か月ぐらい悩みました。

セッションに来るのはほとんどいい人ばかりで楽しいんだけど、来てほしくない人も来るんですね。わたしがクライアントさんに必要とされたいから、つい〝なんとかしてあげなきゃ〟と思ってしまって、〝なんとかしてもらいたい〟人が来る。それをクライアントさんのせいにして、相手を愚痴りたくなるけど、本当は完全にわたしが引き寄せてるんだと思ったんです。

クライアントさんを信用できないのは、わたしが自分を信用していないからなんですね。わたし自身が本当は見合わない値段でやったりして、自分の心地よい空間でやってないと感じているのに、その気持ちに従うことができない。

そこへ、

## 「あんたが思ってる何百倍も必要とされてるし、そんなもんじゃやねぇだろー」by子宮

と言ってくれているようでした。

で、悩んだあげく、もう疲れたから、自分の声に従うしかないって感じになりました。そうしたら、意外なほどみんなが快く受け入れてくれた。

そんなふうに、いつも不安や恐れまみれで、**疑うからこそ、それが本当かどうか試してみるんです。結局、それでうまくいく。**これ、わたしがうまくいくってことは、誰でも子宮の声を聞いたらうまくいくってことだからね！

# 5

# 稼ぐ子宮☆わたしに必要な人もお金も子宮が用意してくれる

わたしはもともと昼と夜の仕事を掛け持ちして目いっぱい働いたけど、病気して、稼げなくて、お客さんもつかなくて……はっきりいって、惨《みじ》めでした。で、今どうなったか？　っていうと、今年の年収は岡田と二人で4000万円いきそう。家事、育児は全部岡田に丸投げして、気分のいいときは飯つくる♪

わたしはブログを書いているのが至福なので、そればっかりしています。税金いっぱい取られちゃうだろうけど、気持ちよく使ってくれる人のところに届ける気持ちで払います。で、常に貯金ゼロを目指して循環させてます。小さな社会貢献だと思ってるよ。わたしってほんっと親切だと思う～。「子宮メソッド」（子宮の声を聞いて幸せになる方法）は著作権フリーだしね。みんなに〝もう自分の中にあるものを使って幸せになりますよ～。他に何もいらないよ〜〟ってお話ししてるんですから。

**すべては子宮まかせです。**子宮界隈・骨盤内の血管が〝人脈・金脈・情報脈〟だというのはこの本でもお伝えしていますが、

**これマジなんだって。**

子宮を温めること、その血管が循環することに集中し、子宮から聞こえる自分の声にただひたすら従うだけ。それだけで、わたしは動かなくても、子宮が勝手にわたしの都合のいいように、あらゆるものを手配してくれる。たまに不安で動きたくなることもあるけれど、そういう時こそ不安な気持ちにかられて動かないい。

衝動にまかせてじゅんせーを妊娠した時も、

**あなたに必要な人もお金も**
**わたしが用意するから、**
**お願いだからわたしの衝動に従って　by子宮**

みたいなことを言ってると思ったら、結果、本当でした。

わたしは集客やブランディングやマーケティングなど、ビジネスに関するセミナーとか行ったこともなければ、勉強したこともないんです。自分がしたいことじゃなくて「将来のため」って学ぶのはやめたほうがいいと思っています。人って、自分ができないから、できる人と出会うようになってるんですね。なのに自分が無理に学んだら、他人の才能を奪ってしまうことになるんです。

だから、すべて子宮まかせ、自分の声まかせです。そうすれば、お仕事も人も環境もぜ〜んぶ向こうからやってくる。なんにもしなくても子宮が全部用意してくれます。子宮がわたしの宇宙をつくってくれる。〝子宮は宇宙なんだ〟って感じます。

けどね、まだまだその声を信用しきれないところがあって、余計なことはやってるし、手放すことはいっぱいあるんですよ。過去は本当にイイ子ちゃんやってたからね。これがまた修行級に厳しい！　でも、それはその時その時でやっていきます。

みなさんも相手に信用されなくて傷ついた経験ってありませんか？　**子宮もそうなんですよ。持ち主に信用されなくて悲しい。**ただね、**一気に全部を手放すのは難しいから、ほんとに少しずつでいいと思うんです。**むしろそれが自然だと思うんですね。

あげまんってね、ただ単純に女性器が温かい人のことだよ。それだけで幸せ体質になるんだよ。だから膣、動かしてねん♪

もともとカチカチ冷え冷えだったわたしが、温めたことで起こった奇跡は、知らない人から見たら、魔法のように思えるかもね。でもこれは、女なら誰でもできることだからね！

## 女には誰にでも、宇宙を変える力があるんだよ！　by子宮

# 6 リスクを愛しすぎたら〝安全〟に愛された

今さらいうことでもないんだけれど、わたしね、リスクが大好きでたまらんの。リスク、リスク、リスク♪　たくさんのリスクに挑んだけど、今生きてる。結局、何もかもが安全だったんです。

わたし、臨死体験があるんだけれど、他の方々の語ってる内容とはちょっと違い、恥ずかしいくらいに、まじで最悪だったのよ。死にそうな瞬間、後悔まみれだったんです。その時「こんなはずじゃなかった」「まだまだ死にたくない」って思いました。情けない……。

それで思ったのね、「人の一生って、死ぬ瞬間、その一瞬にどう思うか？　そのためにあるようなものかも」って。以来、生き方を改めたよね。

〝生き方を改める〟っていったら、普通〝善〟になることだと思うんだけど、わたしの場合そうではなくって、**〝自分の本心に従う〟**ってことでした。自分のために、わたしの中の〝小さな罪・リスク〟を日々おかしていこうって決めたんです。

　でも、これは〝波瀾万丈《はらんばんじょう》〟とは違うんですね。私も昔は波瀾万丈のイメージがぴったりな生き方をしてて、それが自慢でもありました。その頃は〝安心〟したら終わりだって思ってたから、自分にムチ打って頑張ってました。

　でもね、途中で思ったんです。いつまでも波瀾万丈ってことは、人生の学習能力なくないか？　何も学べなかったから、ずっと波瀾万丈だったんじゃね？　わたし、超ダッセぇ……って。

　んじゃ、**リスクを冒すって、何かっていえばね、あれこれ条件つけずに〝ワクワク〟することをやる**、ってことです。わたしの場合、心臓弱いので、いつまでたっても、〝ドキドキ、バクバク〟、思いあまってお腹下すほどですけどね……。でも、それがたまらないのです。

　結局、リスクを選び続けていたら、人は〝安全〟に守護されているんだ、ってことがわかりました。宇宙に安全を委ねていれば、肝心な時、子宮がエールをくれるんですね。だからわたしはリスクを楽しめるんです。

つまりね、

# 楽になりたきゃ、安全にぶらさがってんじゃねーぞ!? by子宮

ってことなんですよ。不幸になるのは簡単です。安全ばかりくらっていればいいんです♪

好きな場所を選び続けたり、嫌な場所から離れ続けるって、リスクまみれなんですよ。だけどわたしは環境も傲慢に選び続けたから、今では好きな場所にしか行かないし、呼ばれないんです。

食事も、食べたくないものを健康のために食べることをやめたら、わたしが食べたいものって **〝食べちゃダメ!!〟** って言われるものでした。どうしようもないよね〜、わたしって♪ **でも、それがたまんないんだよね♪** そうやって

不良妊婦と毒ママやってるのに、母乳トラブルもなく、じゅんせーはすくすく育ってる。わたしはわたしで、自分でも見たこともないくらいに、ますますきれいになってます。

波瀾万丈だった頃と、気持ちの躍動は変わらないけれど、感情の無駄遣いはすんごーーーーく減りました。今はどんな気持ちもゆっくり感じられる時間の中で過ごしています。

「死にたい」って思ったことは何度もあったけど、不安と後悔まみれだった頃と違って、今は安心して**死にたい気持ちにひたれる**くらいです。

結局ね、

**悪魔はわたしの言うことを聞いてくれるし、神様はわたしを守ってくれる。**どちらもわたしに必要な力を貸してくれるんじゃないか？　って思える。そんなニュアンスの生き方になっています。

## 7 子宮起業☆実はわたしにもちゃんとあった「ビジョン」と「ポリシー」

先日、ある方にこう聞かれました。「ビジネス講座では、ビジョンやポリシーを明確にしておくのが成功のヒケツといわれるようです。でもわたしは、ビジョンとかポリシーなんてどうせ変わるし、あえて持っておく必要はないと思うんです。はるちゃんはどう思われますか?」

確かにわたし、ビジネス系の講座とかに行ったことはないし、あえて文章で表すような明確なビジョンやポリシーはないんです。でも、最初から変わらないイメージはあります。

わたしの場合、子宮の声を聞いて幸せになる方法(子宮メソッド)はいろんな方の話を聞いた上で、自分の経験を照らし合わせて生まれたものです。その前にこの活動をスタートさせた時、わたしは〝経験だけで食っていきたい〟、つまり〝生きてるだけで食っていきたい〟と思ったんです。

そうすると必然的に**〝わたしらしく生きる〟**ってことを徹底しないといけないって思ったんですね。これは難しいことではなくって、単に自分に「嘘をつかない」ってこと。**そうすることで垢《あか》が削られて、おのずとオリジナリティーは生まれます。**ひたすらそれをやり続けるだけです。

でも、「嘘をつかない」って、続けるのはかなりきっつーいんですけどね。腹黒い自分をさらけ出すのは、いまだに躊躇してしまいます。でも、やっちゃうけどね。

それに加えて、忘れちゃいけない〝粋な欲望〟があります。それが**〝愛されたい〟**です。これは〝目立ちたい〟とも置き換えられますが、どちらも忘れないようにしています。

ここを忘れると、〝人を救いたい〟っていうフェイクな欲に走ってしまうんですよ。だからそうならないように、最初から自分で決めて持ってたポリシーです。

このフェイクな欲には、気をつけなきゃいけないと思うんですね。そもそも子宮委員長はるの最初の頃って、誰から見ても救われてなかったと思うし、わたし自身から見てもそうでした。で、そういう時にこそ〝愛されたい〟を〝救いたい〟っていう欲に書き換えようとしてしまうんですよ。そのことを体感しました。

それでちょっと〝救ってあげる〟、〝助けてあげる〟ってことを試してみた時もあるけれど、やっぱりないなーと思いましたね。体力と時間の無駄遣いです。〝救われたい〟ならわかりますけど、〝助けたい〟〝救いたい〟〝優しくしてあげたい〟というような〝与えたい欲〟って、倒れたコップと同じで、一向に〝自分〟というコップがいっぱいにならないんです。本音は〝愛されたい〟だから、素直じゃないんですね。**まず本音を満たしてあげないと、救っても救っても、満たされないんです。**

そもそも、女性の体ってそんなふうにできてないんじゃないかとも思います。母性は〝与える〟ものだっていう信仰がありますけれど、自分にだけ与えていれば、周囲もすべて与えられてうまくいくと思っています。少なくとも現在のところ、わたしがわたしを生きているだけで周りは勝手に救われています。わたしもハッピーだし、みんなハッピーです。

つまり、ポリシーをまとめるとこうです。

**1 嘘をつかない**
**2 人は救わない**
**3 自分のためだけに**

これが**「なまけもの&腹黒&極悪非道」**を生み出してくれるわけですね。そりゃ誰だって、頑張りやさんのイイ子ちゃんに見られたい欲はありますよ。でも、だからこそ、黒いスパイスがバランスを保つために必要なんだと思います。

それとビジョンは、いうなれば〝世界一のパートナーをつくる‼〟ですかね♪　最初は、〝セクシュアリティーの語り手の天下をとる！〟とか思っていたんです。今でもそれはそれであるし、今日に至るまでたくさんの夢を見て叶えてきました。

で、わたし、思うんですけど、〝ビジョン〟そのものも確かに大事ですが、さらに追加として、〝ビジョンの持ち方〟も大事だと思うんですね。**体が大振動を起こすくらい、ありったけの欲望で、ありったけの未来を望むんです。**

それを続けていくうちに見えてくる本物があるんです。それはいつ見つかるのかわからないし、他人が教えてくれるかもしれません。私のビジョン〝世界一のパートナーをつくる〟は他人がわたしに〝そうしたいんでしょ?〟と教えてくれて、わたしも「あー! そうですねー!」って納得したんです。

そうしたらね、このビジョンが現実になるために必要なビジョンがまたひとつ生まれたんです。それは、わたしも〝世界一の女になる〟ということ。もとい……、

**わたしがわたしの世界の一番になる。**

これです。最初から知ってたはずなんですけどね。子宮委員長はるとして、孤独な旅に出たわたしだったからこそ、その時に〝**いつでもわたしはわたしの味方でいよう**〟って誓ってたんです。それが時間と共に明確に言語化できただ

けなのだと思います。
このビジョンが、わたしの今の現実を生み出しています。参考になれば嬉しいです♪

# エピローグ

**自分中心でいれば女の人生はうまくいくよ！**

本当は避けたく、一番怖いと思ってた生き方を選んでから、わたしの人生は少しずつ輝きを取り戻してゆきました。その経緯をブログに綴《つづ》るようになってから4年がたとうとしています。決して万人に好かれるような生き方ではないと承知の上で日々を綴ってきましたが、気づけば応援してくださる読者様はどんどん増えて、講演会に来てくださる参加者様や主催者様、たくさんのファンの方に支えられて今日に至ります。

そして、そのブログが書籍になることが決まった時、お腹が痛くなるほどの歓喜と恐れに見舞われました。何かの節目の時にはいつもそうなのですが、だからこそ支えてくださる方々を感じることができます。そんな怖がりなわたしだからこそ、この本が完成するまでの編集担当の平さんや橋本さんとの打ち合わせは、それはそれは至福の日々でした。過去のブログ記事や生き方に自信があるのかと問われれば正直NOなのですが、本を生み出す過程にめいいっぱいの幸せを感じることができたので自信を持って本を送り出そうと思えました。楽しみに待っていてくださるファンの皆様や、必要な方の元へ届くのを嬉しく思います。

子宮委員長はる

本書は、ブログ「子宮委員長はるの子宮委員会」を加筆修正して書籍化したものです。

## 著者プロフィール

# 子宮委員長はる

恋愛・性愛アドバイザー

社会生活を送る際に経験した自身の子宮筋腫、子宮けいがんや中絶、周囲の不妊に対する悩みなど子宮のトラブルや性の悩みの多さに興味を持ち、自分と真っ向から向き合いながら“子宮”を中心とした講演活動を全国各地で行う。

2013年９月に性愛&恋愛のお悩み相談室「あとりえ林檎」をOPEN。自分が“してはいけない”と思っていることや、抵抗のあることにトライしてみることで人生が豊かになると気づき、そんなタブーの中で発見したメッセージを綴るブログが、最多で１日19万アクセスあり、多くの女性を魅了している。

子宮委員長はるの子宮委員会　（検印省略）

2015年9月22日　第1刷発行

著　者　子宮委員長はる（しきゅういいんちょうはる）
発行者　川金　正法

発　行　株式会社KADOKAWA
〒102-8177　東京都千代田区富士見2-13-3
03-3238-8521（カスタマーサポート）
http://www.kadokawa.co.jp/

落丁・乱丁本はご面倒でも、下記KADOKAWA読者係にお送りください。

送料は小社負担でお取り替えいたします。

古書店で購入したものについては、お取り替えできません。

電話049-259-1100（9：00～17：00／土日、祝日、年末年始を除く）

〒354-0041　埼玉県入間郡三芳町藤久保550-1

DTP／フォレスト　印刷／暁印刷　製本／BBC


ISBN978-4-04-601317-0　C0070